Wyt Ti'n Cofio'r Hen

Oedfa

Casgliad o oedfaon cyflawn at ddefnydd eglwysi

gan Alice Evans

CYHOEDDIADAU'R GAIR

ⓟ Cyhoeddiadau'r Gair 2009

Testun gwreiddiol: Alice Evans
Cyhoeddwyd mewn cydweithrediad â
Chyfundeb Annibynwyr Gorllewin Myrddin

Golygydd testun: Yvonne Francis
Golygydd Cyffredinol: Aled Davies.

ISBN 978 1 85994 649 6
Argraffwyd yng Nghymru.

Cyhoeddwyd gan:
Cyhoeddiadau'r Gair, Cyngor Ysgolion Sul Cymru,
Ael y Bryn, Chwilog, Pwllheli, Gwynedd LL53 6SH
www.ysgolsul.com

CYNNWYS

Rhagair

Dyma wyth o wasanaethau llawn fydd yn galluogi aelodau eglwysi i gynnal oedfaon pan nad oes gweinidog na phregethwr arall yn bresennol. Mae galw mawr am y fath ddeunydd y dyddiau hyn. Dyma lyfr gwerthfawr i'w gadw wrth law yn y cartref ac yn y capel.

Mae Alice Evans o Henllan Amgoed yn awdur ac emynydd. Mae eisoes wedi cyhoeddi pedair cyfrol at ddefnydd Ysgolion Sul, pobl ifanc ac oedolion; ac mae carol o'i gwaith yn *Caneuon Ffydd*. Bu'n gadeirydd a thrysorydd Cyfundeb Annibynwyr Gorllewin Caerfyrddin, sy'n falch iawn o gael cyhoeddi'r gyfrol newydd hon ar y cyd gyda *Cyhoeddiadau'r Gair*.

Meddai'r awdur:
Penderfynais ddod â'r gyfrol hon i sylw aelodau eglwysi Cymraeg gyda'r gobaith y bydd o gymorth i gynnal oedfaon pan na fydd gweinidog yn bresennol. Trwy roi rhannau i wahanol aelodau ymlaen llaw, gyda rhaglen fer o rediad yr oedfa, gall y gwasanaeth fynd ymlaen yn dawel a diffwdan.

Gobeithiaf yn fawr y ceir bendith o ddefnyddio'r gwasanaethau, ac y byddant yn help i hyrwyddo Teyrnas Dduw.

Diolchaf i bwyllgor gwaith Cyfundeb Gorllewin Caerfyrddin am eu cefnogaeth a'u cymorth, ac i Gyhoeddiadau'r Gair am gyhoeddi'r gyfrol yn raenus.

Alice Evans

ADNABOD

Cyd-weddïwn:
Ysbryd y tragwyddol Dduw, disgyn arnom ni;
plyg ni, trin ni, golch ni, cod ni;
Ysbryd y tragwyddol Dduw, disgyn arnom ni.amen

Emyn 184: **Dyro inni weld o'r newydd**
Tôn 155: **Arnsberg**

Darllen: loan 4: 5-14; 39-42; lesu a'r Wraig o Samaria

Rhinweddau

Fe wyddom fod rhinweddau,
pan droir hwy'n weithrediadau,
o fythol fudd tra ar ein rhawd,
i chwaer neu frawd mewn eisiau.

Mor hawdd yw gweld y brychau
sy'n britho cymeriadau,
mil gwell yw gweld y doniau da
mewn pawb, na ffeindio beiau.

Pan ddelo cais, ymateb,
gwneud mwy na'n cyfrifoldeb,
a derbyn her, pob cyfle gawn,
i roi i ddawn brysurdeb.

'R ôl dechrau gwaith, ei orffen,
gan wneud pob peth yn gymen;
cyd-fyw mewn heddwch fo ein nod,
nid bod yn achos cynnen.

Dweud gair o werthfawrogiad
a hybu cydweithrediad,
adfywio'r gwan,cysuro'r trist
a bod i Grist yn gennad.

Pan rennir rhyw gyfrinach,
gwrandawn yn syth, heb rwgnach,
ond peidiwn â bradychu ffrind
trwy fynd â'r stori 'mhellach.

Pob rhin a ddaw'n ddieithriad
o galon Duw, trwy'i gariad,
ond gedy ef i galon dyn
roi i bob rhin gyfeiriad.

Emyn 830: O Dduw, ein craig a'n noddfa
Tôn 672: Tal-y-Llyn

Cyd-weddïwn:
O Dduw, helpa ni i weddïo arnat yn ostyngedig, gan wybod bod yn rhaid i ni gael dy gymorth di i gadw ar lwybr rhinweddau da bywyd, y bywyd 'rwyt ti am i ni ei fyw. Diolch i ti am fod o fewn clyw bob amser, yn barod i'n cynorthwyo, ond i ni ofyn am dy arweiniad.

Maddau i ni am fod yn amharod i siarad amdanat â'n teulu ac â'n cyfeillion. Maddau i ni ein llesgedd, a'n diffyg brwdfrydedd ynglŷn â'r gwaith yr wyt ti wedi galw arnom i'w gyflawni, a maddau i ni pan fydd ein llawenydd ynot ti yn ymddangos i eraill yn brin, am fod digalondid yn ein caethiwo. Gwna ni'n gyfrifol ac yn wasanaethgar bob amser, gan gyflawni dy waith gydag argyhoeddiad llwyr.

Gwna ni'n fwy cadarn ein ffydd, a dysg ni i fod yn awyddus i ddod i'th adnabod yn well, er mwyn i ni gyflawni ein gwaith dros dy deyrnas di yn fwy graenus. Rho i ni obaith newydd, a gwna ni'n gyfryngau gobaith i eraill. Tyrd atom pan fydd ein hamynedd at eraill yn brin, a chadw ni rhag suro pan fydd ein cariad yn cael ei wrthod.

Gwared ni rhag ceisio bywyd esmwyth, gan gau ein llygaid ar ddioddefaint a thrueni yn y byd, ac ar y poen a'r gofid sydd o'n cwmpas yn feunyddiol. Dysg i ni ymdrechu i greu cymdeithas wâr, cymdeithas heb gasineb nac eiddigedd, heb ormes ac heb gynllwynion atgas yn erbyn cyd-ddynion. Boed i'n gwenau ni fod yn agored ac yn ddiffuant bob amser.

Dysg i ni ddyheu am dangnefedd ar y ddaear trwy groesawu dy ysbryd a'th gariad di i'n calonnau, er mwyn i ni ei rannu ag eraill.

Maddau i ni am adael i hen arferion ein cadw rhag gweld dy fwriadau di ar ein cyfer, ac am i ni fod yn hapus ar gadw drws dy Dŷ ar agor yn unig. Cynydda ddylanwad Crist a'i efengyl yn ein calonnau, a boed i'w gariad a'i ddylanwad fod ar waith trwom ni.

Gofynnwn hyn yn enw ac yn haeddiant Iesu Grist, ein Tywysydd a'n Gwaredwr. Amen.

Emyn 598: Ysbryd y gorfoledd
Tôn 501: Gwefus Bur

Cân i leuenctid: O Iesu, tyrd atom
Tôn: Plwyf Llangeler (Hiraeth Haf, Vernon a Gwynfor)

Wrth deithio i'r ddinas newidiwyd Sacheus,
y gŵr ddaeth yn gefnog trwy ddulliau amheus;
derbyniodd ef Iesu i'w gartref yn llon,
a'i Geidwad ga'dd groeso am byth yn ei fron.

Cytgan:
O Iesu, tyrd atom, a dangos i ni
y ffordd i roi'n hunain yn gyflawn i Ti.

Trwy rym ei weithredoedd a thraethiad y Gair,
adnabod ei chyfaill fel Ceidwad wnaeth Mair;
hyfrydwch fu 'i chariad at Grist trwy ei hoes,
a'i serch a orlifodd pan goncrodd E'r groes.

Cytgan:

Erlidiwr yr eglwys oedd Paul pan yn iau,
cyn teimlo yr awydd i edifarhau;
wrth fynd i Ddamascus, fe'i t'rawyd yn ddall,
ond gwelodd ef Iesu'r Gwaredwr di-wall.

Cytgan:

Liw nos, Nicodemus yn ofnus a ddaeth,
can's trefniant y Cyngor a'i cadwai yn gaeth;
"Dy eni o'r Ysbryd sydd raid", medd Mab Duw,
ac wedi 'i aileni, i'w Geidwad bu'n byw.

Cytgan:

Bu Tomos yn amau, nes gwawriodd y dydd
pan ddaeth ôl yr hoelion â dyfnder i'w ffydd:
mae galwad ein Harglwydd mor dyner pan ddaw,
ac nid yw E'n galw, heb estyn ei law.

Cytgan:

Ar ddechrau'r cyfarfod, darllenwyd hanes 'Iesu a'r wraig o Samaria', hanes a gawn yn efengyl Ioan yn unig, a'r geiriau fydd yn gefndir i'r ychydig sylwadau sy'n dilyn fydd rhan o'r bedwaredd adnod ar ddeg, sef Iesu'n dweud,
        Bydd y dŵr a roddaf iddo, yn troi yn ffynnon o ddŵr o'i fewn,
        yn ffrydio i fywyd tragwyddol.

Yn y dyddiau pan oedd Iesu yn gwasanaethu Duw ar y ddaear, 'roedd gwlad Palesteina wedi cael ei rhannu i dair rhan, sef Galilea yn y gogledd, Samaria yn y canol, a Jwdea yn y de, felly pan oedd rhywun am fynd o Jwdea i Galilea, 'roedd yn rhaid mynd trwy Samaria, ac nid oedd pobl Samaria yn gyfeillgar iawn â thrigolion y ddwy ran arall.
        Ar ôl ei daith hir, ac yntau wedi blino, eisteddodd Iesu wrth ffynnon Jacob, yn Samaria. Cyn hir, daeth gwraig o Samaria yno i dynnu dŵr o'r ffynnon, ac meddai Iesu wrthi, "Rho i mi beth i'w yfed". Synnodd y

wraig pan glywodd Iesu yn ei chyfarch, oherwydd yr anghydweld oedd rhwng Samaria a'r ddwy ran arall, ond ni rwystrodd hynny Iesu i siarad â hi, oblegid cariad heb ffin yw cariad Crist.

Tueddir i edrych lawr ar y wraig hon, oherwydd ei llacrwydd moesol, a thueddir pwysleisio'r ffaith honno, ond gadewch inni edrych ar rai o rinweddau'r wraig. Galwodd hi Iesu'n Syr, felly 'roedd hi'n ymddwyn yn gwrtais; 'roedd hi'n barod i roi ei hamser iddo, ac 'roedd hi'n barod i gael sgwrs ag ef a chael ei dysgu ganddo. Efallai'n wir ei bod hi'n barotach na ni i siarad ag ef a gwrando arno; felly pwy ŷm ni i'w beirniadu?

Gan mai wrth ymyl ffynnon y cyfarfu'r wraig â Iesu, defnyddiodd ef ddŵr cyffredin i ddysgu'r gwirionedd iddi amdano'i hun fel y Meseia. Gwyddai hi'n dda am y dŵr oedd angen i ddiwallu syched y corff, ond trwy Iesu daeth i wybod am y dŵr bywiol sydd angen, cyn dod yn feddiannol ar fywyd tragwyddol, bywyd pan mae Iesu yn cartrefu yn ein calonnau, bywyd pan mae'r enaid mewn cytgord â Duw.

Meddai Crist, "Yr wyf fi wedi dod er mwyn i ddynion gael bywyd, a'i gael yn ei holl gyflawnder,"ac meddai Ioan, "Carodd Duw y byd gymaint, nes iddo roi ei unig Fab, er mwyn i bob un sy'n credu ynddo beidio â mynd i ddistryw, ond cael bywyd tragwyddol." Mae'r angen i ni gredu yng Nghrist yn cael ei gofnodi'n aml yn efengyl Ioan, ac mae'n gorffen trwy ddweud mai pwrpas ysgrifennu 'r Efengyl yw er mwyn i ni gredu mai Iesu yw'r Meseia, Mab Duw, a thrwy gredu, cael bywyd yn ei Deyrnas.

Ioan hefyd sy'n cofnodi Crist yn dweud, "A hyn yw bywyd tragwyddol, dy adnabod di, yr unig wir Dduw, a'r hwn a anfonaist ti, Iesu Grist. Mae'r bywyd hwn yn dechrau pan ddown ni i adnabod Duw fel ein Crëwr, ein Cynhaliwr a'n Tad, ac adnabod Crist fel Mab Duw, ein Gwaredwr a'n Brawd, a'i dderbyn yn Arglwydd ein bywydau.

Mae'n dweud yn yr hanes fod y wraig yn gwybod bod y Meseia'n mynd i ddod, felly 'roedd hi wedi clywed amdano, ond yn raddol, ar ôl bod yn ei gwmni, daeth i gredu ynddo, a daeth i'w adnabod. Trodd yr adnabod yn wasanaeth wedyn, pan aeth i'r dref i ddweud wrth eraill amdano.

Ffydd ac awydd i rannu ei phrofiad ag eraill, dyna ddau arall o'i rhinweddau. Mae'n dechrau ar ei gwaith cenhadu ar unwaith hefyd, nid yfory nac wythnos nesaf, ond ar y cyfle cyntaf. Dyna rinwedd bwysig arall, ac un y tueddwn ni i'w hesgeuluso.

Dywed rhai eu bod wedi dod i adnabod Crist bron ar amrantiad, ond efallai bod mwy o bobl wedi dod i wybod am Iesu pan oedden nhw'n blant, ac yna wedi dod i'w adnabod yn raddol. Beth bynnag am hynny, gwyddom fod angen arweiniad Crist arnom, er mwyn ein cynnal a'n cadw ar y llwybr Cristnogol. Telyneg fechan sy'n ceisio mynegi hyn yw

Y Darlun

Fe gafodd jig-so'n anrheg
ar ei benblwydd yn saith;
heb feddwl dim, fe luchiodd
y blwch cyn dechrau'r gwaith;
er troi a throi'r holl ddarnau,
bu hwnnw'n bôs rhy fawr
i'w ddatrys, heb y darlun
a gollwyd gyda'r clawr.

Fe dreuliodd ei holl fywyd
uwchben yr ail jig-so,
a llwyddodd i roi'r darnau'n
eu lle o dro i dro;
y pôs ym mlwch ei fywyd
a ddaliai'n ddryswch mawr,
pe na bai ganddo ddarlun
o Iesu ar y clawr.

Ceir llawer o wybodaeth am Gristnogaeth mewn llyfrau ac erthyglau, felly ni ddylai gwybodaeth fod yn broblem i ni. Faint o wybodaeth sydd angen, beth bynnag, cyn y gallwn adnabod Crist fel y Meseia, ac adnabod Duw fel Tad?

Gwraig gyffredin, nid ysgolhaig oedd y wraig o Samaria, ond daeth hi i adnabod Crist. Pysgotwyr cyffredin oedd llawer o'r disgyblion hefyd. Yn llyfr yr Actau, dywedir fel hyn am ddau ohonyn nhw pan oedden nhw wedi bod yn pregethu ac yn iacháu, ac wedi cael eu dwyn gerbron y Cyngor am wneud hynny, "Wrth weld hyder Pedr ac Ioan, a sylweddoli mai lleygwyr annysgedig oeddent, yr oeddent yn rhyfeddu".

Er mai lleygwyr annysgedig oeddynt, gallent wasanaethu Duw yn rhagorol, oblegid dywed yr hanes, 'Daeth llawer o'r rhai oedd yn clywed y gair yn gredinwyr, ac aeth y nifer i gyd yn rhyw bum mil'.

Dim ond pan ddaeth y wraig wrth y ffynnon i adnabod Crist fel y Meseia, y dechreuodd hi ei wasanaethu. Mae adnabod Mab Duw yn fwy gwerthfawr o lawer na gwybod amdano'n unig, a gwybod hanes crefydd ar hyd yr oesau. Wrth gwrs bod angen mesur o wybodaeth, ond a ydyn ni'n rhoi gormod o bwys ar wybod a dim digon ar adnabod? Oni ddylai'r gwybod fod wedi troi yn gredu, a'r credu'n troi'n adnabod, gan ein dwyn yn nes at Dduw bob cam a gymerwn? Meddai Iesu, "Os ydych yn fy adnabod i, byddwch yn adnabod y Tad hefyd." Ai'r ffaith nad ydym yn adnabod Duw'n ddigon da, sy'n cyfrif am y diffyg llewyrch sydd ar Gristnogaeth yng Nghymru y dyddiau hyn?

Dyma bennill o un o emynau Dafydd Wyn Jones, lle mae'n disgrifio ein cyflwr ysbrydol ni –

Digon i ni yw'r hyn nad yw'n digoni,
yfwn o ffrwd nad yw yn disychedu;
maddau, O Dduw, i ni sydd yn dirmygu
Ffynnon y Bywyd.

'Ryn ni'n hoff o gadw Iesu yn ei grud; nid yw'n tarfu dim arnom ni'n y fan honno, ond nid yn ei grud mae Iesu. Mae Ef allan yn y byd yn disgwyl amdanom ni, disgwyl am ein cariad ni, ein consyrn ni am eraill, am ein cymorth ni at drueiniaid y Trydydd Byd, ac i hen wraig unig sy'n byw lawr y ffordd, ond neb yn galw i'w gweld. Mae angen ein help ar rywun o hyd i fynd rownd y cornel nesa', oblegid mae bywyd yn anodd i lawer un.

Er mwyn rhoi prawf ar Grist, gofynnodd un o athrawon y Gyfraith iddo, "Athro, beth a wnaf i etifeddu bywyd tragwyddol?" Gofynnodd Iesu iddo, "Beth sy'n ysgrifenedig yn y Gyfraith?" Ei ateb oedd, 'Câr yr Arglwydd dy Dduw â'th holl galon ac â'th holl enaid ac â'th holl nerth ac â'th holl feddwl, a châr dy gymydog fel ti dy hun." Meddai Iesu, "Atebaist yn gywir, gwna hyn, a byw fyddi." Mynd ymaith yn drist wnaeth y gŵr, gan nad oedd yn barod i ffarwelio â'i arian, ond nid rhywbeth i eistedd i lawr yn segur a'i fwynhau yw cariad; mae'n rhaid i gariad gerdded.

Caru Duw a charu cyd-ddyn; bron y gallwn ni grynhoi holl ddysgeidiaeth Crist i'r ddau orchymyn yna. Mae cariad yn amlygu ei hun mewn gwahanol ffyrdd wrth gwrs, megis tangnefedd a goddefgarwch, ffyddlondeb ac addfwynder, ufudd-dod a gwasanaeth, ond cariad yw'r gwreiddyn i bob un o'r rhain. "Arhoswch yn fy nghariad i" meddai Crist dro arall; felly mae cariad i fod ynghlwm wrth bopeth a wnawn, oblegid cariad yw Duw ei hun.

Cariad heb ddechreuad arno,
cariad heb ddim diwedd iddo.

Mae Crist yn cynnig y dŵr bywiol i ni, y dŵr sy'n ein llanw ni â'i ysbryd E',ac yn rhoi tyfiant o'i burdeb yn ein heneidiau ni, a thyfiant o'i gariad yn ein calonnau ni. Mae derbyn y dŵr hwn yn dwyn cyfrifoldeb yn ei sgîl, a disgwylir i ni wisgo ffedog waith, fel y gwisgodd Crist y tywel yn yr oruwch-ystafell; rhaid plygu mewn gwasanaeth hefyd, yn ôl ei esiampl Ef, pan olchodd draed y disgyblion. Os byddwn yn barod i roi ein gwasanaeth, gwyddom y cawn gymorth i gyflawni'r gwaith gan Roddwr y dŵr.

Mae Fransis Gay wedi ysgrifennu sawl cyfrol o'r enw The Friendship Book, gyda rhyw sylw buddiol ar gyfer pob dydd o'r flwyddyn. Dyma gerdd fechan o'i eiddo –

When Jesus came

He found my house upon the hill,
I made the beds and swept the floor
and laboured solitary, till
He entered at the open door.

He spoke with me to break my fast,
He blessed the bread and poured the wine
He knew such friendly words, at last
I knew not were they his or mine.

But only when he rose and went,
and left the twilight in the door,
I found my hands were more content
to make the beds and sweep the floor.

A yw Crist yn gartrefol yn ein cartrefi ni? A ydyn ni'n ei adnabod yn ddigon da i adael iddo ddod mewn heb roi cnoc ar y drws? A yw yn cael cyd-deithio â ni? Os caiff fod gyda ni ble bynnag fyddwn ni, fe fydd yn cryfhau ein ffydd, a'n sicrhau bod cariad yn drech na chasineb, a daioni yn drech na drygioni. Ef yw'r Drws at Dduw, ac
Mae drws agored trwyddo Ef
i mewn i'r nef i ni.
Nid yw Crist wedi addo bywyd hawdd i'w ddilynwyr; cafodd ei wrthod yn ei fro ei hun, ond dyfalbarhaodd Ef yn wyneb pob rhwystr. Mae angen i ni ddyfalbarhau hyd y diwedd hefyd, yn wyneb y rhwystrau a gawn wrth deithio trwy'r byd, gan gofio geiriau Crist yn ei bregeth ar y mynydd, "Gwyn eich byd pan fydd dynion yn eich gwaradwyddo o'm hachos i, a gwyn eu byd y rhai a erlidiwyd o achos cyfiawnder, oherwydd eiddynt hwy yw teyrnas nefoedd. Cofiwn eiriau'r emyn -

Paid ag ofni'r anawsterau,
paid ag ofni'r brwydrau chwaith,
paid ag ofni'r canlyniadau,
cred yn Nuw a gwna dy waith.
cei dy farnu, cei dy garu,
cei dy wawdio lawer gwaith,
na ofala ddim am hynny,
cred yn Nuw a gwna dy waith.

Cynigiodd Iesu'r dŵr bywiol i'r wraig, ond ni wyddai hi am y dŵr hwnnw, am nad oedd wedi adnabod y Gwaredwr eto. 'Roedd hi wedi clywed am y Meseia, a'r ffaith y byddai'n dod ryw ddydd. "Pan ddaw, bydd yn dweud popeth wrthym", meddai'r wraig. Ar ôl iddi ddweud hynny, meddai Iesu wrthi, "Myfi yw, sef yr un sy'n siarad â thi".
Gadawodd y wraig ei hystên wrth y ffynnon, ac aeth yn ebrwydd

i ddweud wrth eraill am y Meseia, a daeth llawer i gredu trwy **air un wraig.** Geilw Crist arnom ninnau hefyd i genhadu ond faint ohonom sy'n barod i roi Crist gyntaf yn ein bywyd? Gall un person wneud gwahaniaeth mawr; cofiwn ein bod ninnau'n ddisgyblion i Grist.

Nid yw'r wraig hon hyd yn oed yn cael ei henwi yn y Beibl, ond mae wedi bod yn genhades werthfawr iawn i Dduw, trwy Iesu Grist. Derbyniodd hon y dŵr bywiol ei hun, ac arweiniodd hi eraill hefyd at Ffynnon y Bywyd.

Mae Duw yn gofyn am y cyfan oddi wrthym ni hefyd. Dyma y ceisir ei ddatgan yn yr emyn nesaf.

Unawd, deuawd neu barti: Mae Duw'n gofyn
Tôn 370: Lorelei

> Gofynni am fy llygaid
> i ddangos im, O Dad,
> y ffordd a drefnaist imi,
> ffordd cymod a llesâd;
> ar hon ni roddir gofod
> i wawd na theimlad cas,
> can's dyma'r ffordd bu Iesu
> yn puro gynt â'i ras.
>
> Gofynni am fy nwylo
> i'w hestyn at fy mrawd,
> a'u hagor i ddiwallu
> y sypyn prin o gnawd;
> gofynni imi 'u hestyn
> at Grist ar oriau sen,
> i dynnu'r goron bigog
> o ddrain oddi ar ei ben.

Gofynni am fy ngenau
i sôn am d'eiriau glân,
a'r cariad a estynni
i bawb yn ddiwahan;
yn wyneb anghyfiawnder
sy'n rhoi i gyd-ddyn loes,
caf ddweud am rym dy gariad
a'i obaith i bob oes.

Gofynni am fy nghalon
i'w llwyr feddiannu hi,
y galon sy'n petruso
pan ddaw dy alwad di;
O planna d'ysbryd ynof
i gadarnhau fy ffydd,
nes rhof fy hun yn gyfan
i Ti, o ddydd i ddydd.

Ynghanol meithder ac unigedd y Migneint, yng nghanolbarth Cymru, heb fod ymhell o Benmachno, mae ffynnon wedi ei chloddio ar ymyl y ffordd, er mwyn i deithwyr dorri eu syched. Mae adeilad bach o gerrig wedi ei godi yn gysgod iddi, ac arno yr enw Ffynnon Eidda. O dan yr enw mae'r geiriau 'ŷf a bydd ddiolchgar'.

Wrth aros am ychydig i syllu ar y ffynnon fach hon, gellid yn hawdd meddwl am Iesu'n sefyll wrth Ffynnon y Bywyd, yn estyn y dŵr bywiol i'r rhai a ddeuai i gyfranogi ohono, ac yn yngan yr un geiriau, sef, 'ŷf a bydd ddiolchgar'. Mae Crist yn sefyll wrth Ffynnon y Bywyd o hyd, ac mae digon o ddŵr bywiol ynddi i bawb.

Y Gŵr wrth Ffynnon Jacob
eisteddodd gynt i lawr,
tramwyodd drwy Samaria,
tramwyed yma nawr;
'roedd syched arno yno
am gael eu hachub hwy,
mae syched arno eto
am achub llawer mwy.

15

O na allwn garu'r Iesu
yn fwy ffyddlon, a'i was'naethu,
dweud yn dda mewn gair amdano,
rhoi fy hun yn gwbwl iddo.

Emyn 326: O'r nef mi glywais newydd
Tôn 267: Rutherford

Cyd-weddïwn:
Boed i ni ddarllen dy Air a myfyrio arno, er mwyn i ni ddod i'th adnabod yn well. Boed i ni glywed dy lais yn galw arnom a rho i ni galonnau parod i ymateb i'th alwad. Gwna ni'n ffynhonnau o obaith i'r rhai sy'n teimlo bywyd yn anodd, ac yn ffynhonnau glân i Ti, er mwyn Iesu Grist ein Ceidwad. Amen.

BYD DUW

Cyd-weddïwn: K 2.

O disgyn, Ysbryd Glân, o'r nefoedd wen i lawr,
i gynnau'r dwyfol dân yn ein calonnau nawr.

O'th garu tra bôm byw, a rhodio gyda thi,
aroglau meysydd Duw fydd ar ein gwisgoedd ni.

Tydi all ein glanhau o'n beiau, fawr a mân;
gad inni fyth fwynhau dy ddoniau, Ysbryd Glân. Amen.

Emyn 64: Tydi sy deilwng oll o'm cân
Tôn 55: Godre'r Coed

Mae sawl emynydd wedi datgan clod i Dduw am harddwch y cread.
Mae Ben Davies yn cydnabod Duw fel Creawdwr a Brenin y byd trwy
ddweud –

Ti Greawdwr mawr y nefoedd,
mor ardderchog dy weithredoedd;
Ti yw Brenin creadigaeth,
Ti yw awdur iachawdwriaeth.

Ti, O Dduw, sy'n pwyso'r bryniau
a'r mynyddoedd mewn cloriannau;
Ti, O Dduw, sydd yn teyrnasu
pan fo seiliau'r byd yn crynu.

Mae Gwilym R. Tilsley yn datgan mai Duw sy'n dal colofnau'r cread,
a bod tynged y byd yn ei law. Cawsom ddoethineb, meddai, i ofalu am
y byd a greodd Duw, ond yn ein balchder, rhown ein bryd ar ddifetha'n
gilydd. Mae'r emyn yn gorffen fel hyn -

O rasol Arglwydd, tro'n calonnau ni
i geisio'r hedd a geir o Galfari.

Boed i ni ddyheu am yr hedd hwnnw'n awr, wrth gyd-ddarllen yr emyn:

Emyn 137: O Arglwydd Dduw, sy'n dal colofnau'r cread.

Emyn 115 i blant: Beth yw mesur glas y nen?
Tôn 90: Melling

Gardd Eden

Yn yr ail bennod o lyfr Genesis, mae'r awdur yn sôn am Dduw yn
plannu Gardd yn Eden. Ystyr Eden yw 'hyfrydwch', a dengys yr hanes
fod yr Ardd hon yn lle hyfryd i fyw ynddo. Mae'n rhaid ei bod hi felly,
oblegid dywed yr awdur, 'Gwelodd Duw y cwbl a wnaeth, ac yr oedd
yn dda iawn.'
    Â ymlaen fel hyn: 'Yn y dydd y gwnaeth yr Arglwydd Dduw ddaear
a nefoedd, nid oedd un o blanhigion y maes wedi dod ar y tir, nac un o
lysiau'r maes wedi blaguro, am nad oedd yr Arglwydd Dduw wedi peri
iddi lawio ar y ddaear, ac nad oedd yno ddyn i drin y tir. Yr oedd tarth
yn esgyn o'r ddaear, ac yn dyfrhau holl wyneb y tir. Yna lluniodd yr
Arglwydd ddyn o lwch y tir, ac anadlodd yn ei ffroenau anadl einioes, a
daeth y dyn yn greadur byw.'
    Creodd Duw ddyn ar ei lun a'i ddelw ei hun, yn wryw ac yn fenyw
y creodd hwy. A phlannodd yr Arglwydd Dduw ardd yn Eden, tua'r
dwyrain, a gosododd yno yr Adda ac Efa a luniodd.
    Ffordd bardd o ddisgrifio dechreuad y byd a gawn yn llyfr
Genesis. Byddai gwyddonydd yn disgrifio creu'r byd yn wahanol, wrth
gwrs, ond pa bynnag ffordd y credwn ni i'r byd gael ei greu, gwelwn
fod yna greadigaeth, ac felly mae'n rhaid bod yna Greawdwr, un sy'n
haeddu cael ei addoli a'i garu.
    Cofiwn i Dduw, ar y dydd cyntaf, greu goleuni, ac mae byd Duw
yn llawn o oleuni, goleuni i drigolion y byd, a dywed y Salmydd mai
yng ngoleuni Duw y gwelwn ni oleuni. Dywed mai yr Arglwydd yw ei
oleuni a'i waredigaeth ef, felly nid oes angen iddo ofni neb, ac mae'n

gweddïo fel hyn, 'Anfon dy oleuni a'th wirionedd, bydded iddynt fy arwain, bydded iddynt fy nwyn i'th fynydd sanctaidd ac i'th drigfan'. Onid yw Duw'n dal i roi goleuni i ni, er mwyn ein harwain yn ôl i Ardd Eden, sef y byd hyfryd a greodd Duw ar gyfer dyn?

Emyn 222: Tyrd atom ni, O Grëwr pob goleuni
Tôn 186: Berwyn *oi idl y m o*

Salm o fawl i Dduw am drysorau na all arian eu prynu

Rhown fawl i Ti, O Dduw, am y trysorau sy'n cyfoethogi ein taith trwy'r byd, trysorau'r nef na allwn fesur eu gwerth.

Ynot y tardd y cariad sydd byth yn pallu, a byth yn pylu, y gobaith sy'n ein dal yn gryf er pob terfysg ac ofn, a'r ffydd i wynebu treialon bywyd mewn ysbryd bodlon.

O'th law di y derbyniwn y ddawn i drysori atgofion a chael synnwyr digrifwch, i gydnabod ein camgymeriadau ac i gyfrif ein bendithion.

Ti sy'n ein cynorthwyo i gydymdeimlo â chyd-ddyn mewn profedigaeth; trwot Ti daw'r ddawn i werthfawrogi ac i anwylo teulu a chyfeillion, a'r ddawn i garu pan fydd hynny'n anodd.

Ti sy'n ein galluogi i synnu at yr holl brydferthwch sydd o'n cwmpas; llawenhawn wrth weld y canghennau'n blaguro gyda deffroad y gwanwyn, dail yr haf yn llonni yn y tes, gogoniant eu lliwiau amryliw yn gwenu yn haul yr hydref a'u dawns wrth chwarae mig ag awelon cryf y gaeaf.

O'r nef y daw'r ddawn i glywed y brwyn yn siffrwd eu cyfarchion ar y waun, tonnau prysur y môr yn parablu eu stori wrth y tywod, twrw'r nant wrth raeadru i'r dyfnder islaw, yn un llinyn o arian, a swyn ei si pan lifa'n fyrlymus dros y graean.

O'th blegid di daw inni wefr pan fydd machlud haul yn fflamio'r gorwel, neu leuad lawn yn sleifio trwy fôr o sêr ar noson glir.

Ti sy'n estyn inni'r gallu i ryfeddu at gadernid y lili wen fach wylaidd ym môn y clawdd, gosgeiddrwydd alarch wrth lifo'n ddigyffro dros yr afon lefn, neu wylan wen yn hofran yn urddasol dros donnau'r heli.

Rhyfeddwn at aur yr eithin a phorffor y grug, pan blethant yn gywrain, gan greu mantell liwgar i orchuddio noethni'r rhos; rhyfeddwn at flodyn bach yn gwthio'i ben trwy hollt yn y graig, a'r garthen o glychau'r gog ar wely'r goedlan. Trysorau'r nef ydynt i gyd, a thi sy'n plannu'r awydd ynom i sefyll a syllu mewn syndod ac mewn llawenydd.

Molwn di am Iesu'r trysor pennaf;
yn ei gwmni Ef, gwelwn y ffordd atat Ti'n fwy eglur,
trwyddo, down mor addolgar â'n hymddiriedaeth ynot Ti,
mor wasanaethgar â'n cariad tuag atat,
ac mor ostyngedig â'n gweddïau dwys.
Bu Crist farw trosom; diolchwn amdano Ef a holl drysorau'r nef, trwy fyw er ei fwyn.

Fel hyn y mae Cynan yn disgrifio'r byd a greodd Duw, yn ei gerdd -

Pob peth cain a phrydferth

Pob peth cain a phrydferth, a phob creadur byw,
pob peth sy'n ddoeth a rhyfedd, fe'u gwnaethpwyd oll gan Dduw.

pob blodyn bach sy'n agor, pob deryn bach a gân,
Duw wnaeth eu lliwiau gloyw, Duw wnaeth eu hesgyll mân.

Y mynydd dan ei borffor, yr afon ar ei thaith,
y machlud a'r boreuddydd oleua'r wybren faith.

Yr oerwynt yn y gaeaf, yr haul sy'n heulo'r byd,
y ffrwythau yn y berllan, -Duw wnaeth y rhain i gyd.

Rhoes lygaid inni 'u gweled, a gwefus a barha
i foli'r Hollalluog a wnaeth bob peth yn dda.

**Emyn 136 i barti: Y mae Duw yn neffro'r gwanwyn
Tôn 110: Preseli**

**Emyn i'w ganu ar y dôn Gweddi'r Plant
Cymer ein calonnau, Tôn 75:Caniedydd yr Ifanc**

Gwelwn ffrwyth dy gariad tyner di, ein Tad,
yn y lliwiau cywrain sydd yn llonni'n gwlad;
Ti sy'n dwyn cyfaredd machlud ar ei awr,
Ti sy'n cynnau'r llusern sy'n arwyddo'r wawr;
gelwi y tymhorau, deuant yn eu pryd;
d' eiddo di yw'r cynllun sy'n rhoi bod i'n byd;
diolch rown, O Arglwydd, wrth it ryngu'n bodd,
nad yn ôl ein haeddiant ni y daw pob rhodd.

Teimlwn hedd dy gariad pan ddaw d'ysbryd di
atom â'i atebion i'n gweddïau ni;
diolch am gael siarad gyda'r Un a ŵyr
ddyfnder y pryderon ddaw ymhlyg yr hwyr:
molwn di am estyn balm dy gariad hael
i adfywio'r clwyfus, a grymuso'r gwael;
diolch rown, O Arglwydd, wrth it ryngu'n bodd,
nad yn ôl ein haeddiant ni y daw pob rhodd.

Rhannwn falm dy gariad pa le bynnag awn –
rhannu â chyd-ddynion o dy stordy llawn,
rhannu gyda diolch, am i'th Fab dy hun
glymu cwlwm cariad rhyngot Ti a dyn;
na foed inni laesu'r cwlwm glymodd Ef,
er mwyn dwyn ei deulu'n nes i ddrws y nef;
diolch rown, O Arglwydd, wrth it ryngu'n bodd,
nad yn ôl ein haeddiant ni y daw pob rhodd.

Cyd-weddïwn:

Ti, Arglwydd, a greodd y bydoedd
a threfnaist i'r wawrddydd ei lle,
dy allu a daenodd y nefoedd,
a'th gerbyd yw cwmwl y ne.

Down gyda diolch yn ein calonnau yn awr, O Dduw, am i Ti greu y nefoedd a'r ddaear, am wahanu'r goleuni oddi wrth y tywyllwch, ac am roi cyfle i'r hil ddynol i ofalu am dy gread. Mae ôl dy fysedd ym mhob man o'n cwmpas, felly boed i ni droi ein meddyliau atat Ti, y Crëwr, a pheidio â chymryd popeth yn ganiataol, a boed diolch yn ein calonnau am yr hyn a gawn eu benthyg gennyt Ti dros dro.

Y nefoedd sydd yn datgan dy ogoniant,
a'r ffurfafen sy'n mynegi gwaith dy fysedd..

Bendithiaist lafur dyn ar y ddaear, a rhoddaist inni lygaid i weld yr harddwch sydd o'n cwmpas. Cywilyddiwn wrth feddwl mor aml yr anghofiwn amdanat, er inni gael ein dysgu ym more oes mai Ti yw ein Crëwr a'n Cynhaliwr. Cerddwn drwy'r byd yn aml, heb sylweddoli'r fraint o gael byw a chael ein cynnal trwy dy ras a'th haelioni, a heb sylweddoli ein dibyniaeth arnat.

Maddau i ni am y balchder hwnnw sy'n peri i ni ymffrostio yn ein gallu ein hunain, y balchder sy'n ein cymell i geisio byw yn annibynnol arnat, a'n gwneud ein hunain yn ganolbwynt pob peth. Diolch i Ti am dy gariad a'th ras tuag atom, er i ni droi ein hwynebau i gyfeiriadau eraill mor aml, ac anghofio amdanat.

Deui atom yn ein gwendid, gan ein codi ar ein traed;
drwy dy ysbryd, drwy dy bobol, sefyll yr wyt Ti o'n plaid.

Deui atom yn ein trallod, gyda chysur yn dy lais;
drwy dy Ysbryd, drwy dy bobol, parod wyt i wrando'n cais.

Maddau i ni am y ffordd y caiff cyd-ddynion eu trin gennym, er iddynt fod yn frodyr a chwiorydd i ni. Dysg i ni rannu dy drysorau ag eraill, gan sylweddoli o'r newydd nad gwaith angylion yw troi byd o boen a braw yn fyd o gariad pur, a heddwch ar bob llaw, ond yn hytrach, fod Iesu wedi ein hanfon **ni** i'r byd i wneud ei waith a gwneud yn siwr y daw ei deyrnas ef yn ffaith.

Dangos dy hun o'r newydd i ni; gwna ni'n ofalwyr gwell o'th winllan, ac yn gymwynaswyr gwell i'n cyd-ddynion. Gofynnwn hyn yn enw ein Harglwydd Iesu Grist. Amen.

Emyn 117: Datganaf dy glod, O Arglwydd fy Nuw
Tôn 92:Laudate Dominum

Yn ei gyfrol 'Am Funud', mae'r Parchedig Meurwyn Williams wedi ysgrifennu fel hyn – 'Ryn ni'n byw mewn byd sydd yn credu y gallwn gario ymlaen yn iawn heb Dduw, ac felly, mae'n anodd sefyll i fyny dros Dduw yn aml, am ein bod yn y lleiafrif. 'Ryn ni yn y byd, ond ni ddylem ddilyn ffordd y byd. Mae Duw yn disgwyl i ni fyw ein bywydau yn ôl egwyddorion yr Efengyl, ac i hybu y gwerthoedd sy'n ei ddyrchafu Ef, Crëwr y byd.

Dysgodd Iesu i ni nad oes lle i uchelgais afiach ym myd Duw, ac nad yw atgasedd ac eiddigedd yn rhan o arfogaeth ei ddilynwyr. Yn hytrach, dylem feithrin cariad a chyfiawnder mewn perthynas â'n cyd-ddynion, a cheisio gwell dealltwriaeth rhwng cenedl a chenedl. Nid yw Iesu erioed wedi dweud bod byw y ffordd Gristnogol yn hawdd. Dywedodd wrth ei ddisgyblion –

Dyma fi yn eich anfon allan fel defaid i blith bleiddiaid; felly byddwch yn gall fel seirff, ac yn ddiniwed fel colomennod. Cewch eich dwyn o flaen llywodraethwyr a brenhinoedd o'm hachos i, i ddwyn tystiolaeth iddynt ac i'r Cenhedloedd. Cas fyddwch gan bawb o'm hachos i, ond y sawl sy'n dyfalbarhau i'r diwedd a gaiff ei achub.'

Mae'r geiriau hyn yn ein calonogi, oblegid yr addewid sydd ynddynt. Dywedodd hefyd,

'Pob un sydd yn fy arddel i gerbron dynion, byddaf finnau hefyd yn ei arddel ef gerbron Duw, yr hwn sydd yn y nefoedd.'

Emyn: Gwaredwr y Byd
Tôn 622: Tŵr-Gwyn

Caed cyfoeth gras y nefoedd
    yn y crud,
a chariad Tad trwy'r oesoedd
    yn y crud;
caed Duw'n ei holl ogoniant,
o fore dydd y trefniant
yn Eden gyda'i ramant,
    yn y crud,
caed cysgod croes ein pryniant
    yn y crud.

Cyn dydd dy ymgnawdoliad
    Iesu da,
fe'th folwyd gan broffwydi,
    Iesu da,
yn D'wysog tangnefeddus,
cyfiawnder iti'n wregys,
yn gyfaill i'r trallodus,
    Iesu da,
ond triniwyd di'n ddirmygus
    Iesu da.

Llawenydd sydd yn Seion
    trwot Ti,
can's talwyd ein dyledion
    trwot Ti;
cawn gariad i'n harfogi,
cawn ffydd i'n cyfoethogi
a sicwydd i'n gwroli,
    trwot Ti,
ond iti gael dy eni
    ynom ni.

Gweinidog yn Washington, yn America oedd Peter Marshal, ac yn un o'i bregethau mae'n sôn am dref lle 'roedd popeth yn braf; 'roedd afon glir, fel grisial, yn rhedeg trwyddi, yn rhoi bod i lawntiau a gerddi hyfryd, ac elyrch yn hwylio'n osgeiddig o lan i lan, tra chwaraeai plant yn y dŵr bas. Fe aeth pethau'n ddrwg yn ariannol ar y dref honno, a bu'n rhaid sôn am gwtogi. Fe benderfynodd Cyngor y dref mai un person y gellid gwneud hebddo oedd y gŵr a arferai glirio'r dail o'r nentydd oedd yn bwydo'r afon. Arferai hwnnw wneud yn siwr na fyddai anifeiliaid oedd wedi marw ar y mynyddoedd, yn dwyn amhuredd i ddur y nentydd, ond nid oedd y Cyngor yn sylweddoli ei werth, a chollodd ei swydd. Yn fuan iawn sylweddolwyd nad oedd dŵr yr afon mor lân ag y bu, cafodd rhai o'r plant heintiau wrth chwarae ynddo, nid oedd blodau yn tyfu ar lan yr afon, a diflannodd yr elyrch.

Penderfynodd y Cyngor bod dim i'w wneud ond ail-gyflogi'r gŵr 'roeddynt wedi gwneud i ffwrdd ag ef. Aeth hwnnw ati ar unwaith i glirio'r ffosydd o'u bryntni, a gofalodd bod dŵr y nentydd yn rhedeg yn rhwydd unwaith eto. Gwelwyd blodau yn ôl ar ei glan, ac fe allech weld y cerrig mân ar waelod yr afon yn glir, gan fod y dŵr mor lân. Cyn bo hir, daeth yr elyrch yn ôl iddi, ac edmygai pawb brydferthwch y lle, fel cynt.

Mae yna rai o hyd sy'n dwyn amhuredd i gymdeithas, gan ei suro a'i chwalu, yn faterol ac yn ysbrydol, ac mae angen pobl fel y gŵr yn y stori, i'w glanhau a'i chadw'n bur, er mwyn i'r byd fod eto wrth fodd Duw.

Salm 8:
O Arglwydd ein Iôr, mor ardderchog yw dy enw ar yr holl ddaear

Un tro, 'roedd athro yn sôn wrth ei ddosbarth am y ffordd yr oedd goleuni trydan yn dod i'n cartrefi. Cerddodd o'i ddesg at y swits oedd ar y mur, gan ddweud, "Pan wasgaf y swits hon bydd y pŵer trydan yn llifo i'r bwlb, ac yn goleuo'r ystafell. Gwasgodd yr athro y swits, a llanwyd yr ystafell, nid â goleuni, ond â chwerthin plant, gan na weithiodd yr arbrawf.

Ni threchwyd yr athro fodd bynnag; yn hytrach aeth ymlaen i egluro nad oedd methiant y bwlb i oleuo, yn profi bod diffyg ar y cyflenwad trydan, ond ei bod hi'n fwy tebygol mai ar y bwlb 'roedd y diffyg. Gwasgodd swits arall, a'r tro hwn, goleuodd y bwlb.

Pan na fydd ein cornel ni o'r byd yn cael ei oleuo dros Grist, peidiwn â'i feio Ef, oherwydd nid arno Ef fydd y bai, ond arnom ni, oblegid 'Iesu Grist, yr un ydyw ddoe, heddiw ac am byth'. Gallwn fod yn siwr y bydd goleuni, ond i ni ofalu bod y bwlb yn gweithio.

Darllen: Mathew 5: 14 – 16 Chwi yw goleuni'r byd

(Os mynnir, gall yr uchod gael ei drosglwyddo'n weladwy, os oes plant yn yr oedfa, trwy ddefnyddio dwy lamp.)

Emyn 598: Ysbryd y gorfoledd
Tôn 501: Gwefus Bur

Cyd-weddïwn:
O Dduw, boed i ni ddiolch am dy gread, trwy dy ogoneddu di â gwasanaeth didwyll, gwasanaeth o gariad, gwasanaeth fydd yn dwyn heddwch a llawenydd i breswylwyr dy fyd. Boed i ni oleuo'r byd drosot Ti, ac yn enw Iesu Grist, Goleuni'r Byd. Amen.

GAIR EIN DUW NI

Meddai Eseia, 'Y mae'r glaswellt yn crino, a'r blodeuyn yn gwywo, ond y mae gair ein Duw ni yn sefyll hyd byth.'

Cyd-weddïwn:
Deuwn atat yn ostyngedig, O Dduw, i ofyn iti am dy gwmni, ac i ddiolch iti am dy holl roddion, ac yn arbennig am y Beibl, dy Air di.
Corona'n hoedfa ar hyn o bryd â'th hyfryd bresenoldeb, rho brofi grym dy air a'th hedd, a hyfryd wedd dy wyneb. Amen.

Emyn 172: Am Air ein Duw rhown â'n holl fryd
Tôn 145: Abends

Salm 33: 1 – 12   Llawenhewch yn yr Arglwydd

Mathew 20: 1 – 16 Y gweithwyr yn y Winllan

Emyn 384 i unigolyn: Wele'r Athro mawr yn dysgu
Tôn 315: Ifor

Un tro, gofynnodd dyn ifanc i Grist, "Athro, pa beth a wnaf i gael bywyd tragwyddol?" Ar ôl i'r dyn ifanc honni ei fod yn cadw'r gorchmynion, dwedodd Iesu wrtho, "Os mynni fod yn berffaith, dos, gwerth dy eiddo a dyro i'r tlodion." Nid oedd hynny wrth fodd yr holwr; ni theimlodd y gallai fyw heb ei gyfoeth daearol, er mwyn ennill y cyfoeth nefol a gynigiodd Iesu iddo, ac aeth ymaith yn drist.

Pan glywodd y disgyblion hyn, meddai Pedr, y disgybl oedd yn barod iawn i lefaru a gofyn cwestiynau, "Dyma ni wedi gadael pob peth a'th ganlyn di. Beth felly a gawn ni?" Onid beth a gawn ni yn wobr sy'n ein meddyliau ni'n aml hefyd, ac nid beth y gallwn ei roi? Mae cyfiawnder dynion yn aml yn methu dygymod â gras Duw. Yn ei Bregeth ar y Mynydd, dyma ddwedodd Crist, "Oni fydd eich cyfiawnder chwi yn rhagori llawer ar eiddo'r ysgrifenyddion a'r Phariseaid, nid ewch byth i mewn i deyrnas nefoedd."

Ateb Crist i gwestiwn Pedr, felly, yw'r ddameg am "Y gweithwyr yn y winllan." Trwy lefaru'r ddameg, dywed Iesu mai trwy ras mae Duw yn delio â phawb, a'i fod yn hael wrth ymwneud â phawb. Dengys hefyd fod lle i bawb yng ngwinllan Duw, oherwydd nid oedd neb ar ôl yn y farchnadfa ar ddiwedd y dydd. Ein braint ni yw cael gweithio yng ngwinllan Duw, pryd bynnag y daw yr alwad, a gweithio heb ddisgwyl gwobr.

Boed i ninnau ddweud gyda Thomas Morgan yr emynydd –

O am awydd cryf i feddu
ysbryd pur yr addfwyn Iesu,
ysbryd dioddef ymhob adfyd,
ysbryd gweithio drwy fy mywyd.

Ysbryd maddau i elynion
heb ddim dïal yn fy nghalon;
ysbryd gras ac ysbryd gweddi
dry at Dduw ymhob caledi.

O am ysbryd cario beichiau
a fo'n llethu plant gofidiau;
ar fy ngeiriau a'm gweithredoedd
bydded delw lân y nefoedd.

Cân i barti: Dewch i weithio yn y Winllan
Tôn 110: Preseli

"Dewch i weithio yn y Winllan"
oedd comisiwn Iesu gynt,
a thrwy'i gais i'w apostolion,
aeth 'r efengyl ar ei hynt;
dweud mae hon am deyrnas cariad,
lle mae dyn a Duw'n gytûn;
ei harwyddair yw tangnefedd,
a'i Thywysog, Crist ei hun.

"Dewch i weithio yn y Winllan"
yw ei alwad dros ei Dad,
boed in ateb mewn ufudd-dod
drwy roi iddo ein mawrhad;
awn i weithio yn ei deyrnas,
awn i uno gyda'r saint
sy'n lledaenu neges Iesu
yn ein hoes, a'i chyfri'n fraint.

"Dewch i weithio yn y Winllan",
'r un yw'r wŷs a'r un yw'r llef,
Crist sy'n galw am lafurwyr
a ddwg glod i'w deyrnas ef;
bydded ynom ffydd ein tadau,
ffydd na ofna siom na loes,
ffydd yng ngras yr un a'n galwodd
i ddatguddio grym y groes.

Cyd-weddïwn:

Diolchwn i ti, ein Tad, am y cyfle hwn i ymuno â'n gilydd mewn diolchgarwch am dy holl roddion, ac i ddiolch yn bennaf am dy Air di, y Gair sy'n oleuni i'n traed ac yn llewyrch i'n llwybrau. Diolchwn am y rhai a gyfieithodd y Beibl i'r Gymraeg, er mwyn i Gymry fedru ei ddarllen, a cheisio ei ddeall. Maddau i ni ein hesgeulustod ynglŷn â'th Air. Boed i ni roi y lle dyladwy iddo, mewn oes lle aeth eiddo yn bwysicach nag enaid.

Dau neu dri o'r gynulleidfa i ganu ar eu heistedd:
Tôn 52: St. Anne

Diolchwn iti am gael d' Air
i'w ddarllen yn ein hiaith,
y Gair a'n cymell, Arglwydd da,
i'th ddilyn ar ein taith.

Boed i ni sylweddoli o'r newydd, nad yw bywyd neb yn sefyll ar amlder y pethau sydd ganddo. Cofiwn mai dros dro yn unig mae angen eiddo daearol arnom, ond fod yr eiddo ysbrydol a gasglwn yn ystod ein bywydau, yn para am byth.

Diolchwn i ti am ysbrydoli dynion i ledaenu dy Air ar hyd yr oesau. Rho nerth i ni i sefyll yn wrol yn dy enw di, ac i gymeryd pob cyfle a gawn i ddweud yn dda amdanat, gan helpu i gadw olwynion Cristnogaeth i droi yn llyfn yn yr ardaloedd hyn. Boed i ni fod yn barotach i agor ein Beiblau, a'u darllen, er mwyn i ni sylweddoli mor bell yr ydym wedi crwydro o'th lwybrau.

Canu eto:

> Boed inni weld, rhwng cloriau'r Gair,
> Tydi, O Dduw yn Dad,
> a dod, trwy ffydd, i dderbyn Crist
> yn Geidwad yn ein gwlad.

Boed i ni fod yn barotach i alw arnat, i ofyn am dy gwmni a'th gymorth. Dangos i ni'r ffordd ymlaen yn dy law di, fel y gallwn fentro yn hyderus i'r dyfodol. Dysg i ni gynorthwyo'r sawl sy'n teimlo bywyd yn anodd. Cofiwn am y plant sydd wedi cael eu geni i fyd o ryfel, newyn ac anobaith. Boed i ni estyn cymorth iddynt hwy, trwy fudiadau sy'n trefnu'r ffordd i wneud bywyd yn esmwythach iddynt. Gwna ni'n barod i gario beichiau ein gilydd.

Canu eto:

> Boed i ddysgeidiaeth Crist, trwy'r Gair,
> ymdreiddio'n ddwfn i'n clyw,
> a boed in wneud ei neges ddoeth
> i ni yn ffordd o fyw.

Gofynnwn hyn yn enw Iesu Grist ein Harglwydd. Amen.

Emyn 178: Am blannu'r awydd gynt
Tôn 151: Rhosymedre

Darllen: Marc 4: 1 – 9 Dameg yr Heuwr

Mae Dameg yr Heuwr yn un o ddamhegion mwyaf naturiol y Beibl, ac mae'n ceisio egluro pam mae Teyrnas Dduw mor araf i gael derbyniad gan ddynion. Daeth Crist i gyhoeddi Efengyl y Deyrnas, a galw ar ddynion i edifarhau ac etifeddu'r Deyrnas hon.

Ar y dechrau, cafodd ein Gwaredwr dderbyniad gwresog, oblegid darllenwn yn Efengyl Marc fod pobl yn dod ato o bob cyfeiriad. Dywed Mathew fel hyn am ei ddilynwyr hefyd: 'Ac wedi iddo ddod lawr o'r mynydd, dilynodd tyrfaoedd ef'. Er mawr siom iddo, gwanhau a chilio wnaeth y dyrfa, ac yn waeth na hynny, aeth yr arweinwyr crefyddol yn elyniaethus tuag ato.

Yn Nameg yr Heuwr, ceisir egluro nad oedd dim o'i le ar yr Had a blannwyd, oblegid Gair Duw oedd hwnnw, ac wrth gwrs 'roedd yr Heuwr yn ddi-fai, gan mai Iesu ei hun oedd yn hau. Yn hytrach, y tir oedd i'w feio, sef gwrandawyr y Gair.

Mae Crist wedi rhannu'r gwrandawyr i bedwar dosbarth -

Yn gyntaf, 'min y ffordd', sef y bobl galon galed, y rhai sy'n rhy hunan-gyfiawn i dderbyn yr efengyl, pobl sy'n clywed ond heb wrando, am na chredant fod angen iddynt wrando.

Yn ail, mae'n sôn am yr had yn syrthio ar dir creigiog, lle nad oes gobaith iddo i wreiddio. Gwrandawyr felly yw'r rhai sy'n llawn brwdfrydedd am ychydig amser, ond yna'n gwywo'n gyflym, am nad oes ganddynt wreiddyn.

Caiff y trydydd dosbarth, sef yr had sy'n syrthio i blith drain, eu cyffelybu i bobl sydd â gormod o bethau'r byd hwn ar eu meddyliau, fel nad oes awydd arnynt i ddod yn feddiannol ar bethau ysbrydol.

Mae un dosbarth ar ôl, sef y tir da, lle mae'r had yn egino ac yn ffrwytho. Dibynna Duw ar y dosbarth hwn i hyrwyddo ei Deyrnas ef yn y byd.

Emyn 220 i barti: Arglwydd, rho im glywed
Tôn 184: Arthur

Darllen: Mathew 10: 1-10
Rhoi comisiwn i'r Deuddeg

Sant Ffransis o Assisi: Gŵr a glywodd ac a atebodd alwad Crist oedd

Sant Ffransis. Un diwrnod gwelodd ddyn gwahanglwyfus, a theimlodd yn ofnus wrth feddwl am ddod yn agos ato, gan fod y gwahanglwyf yn glefyd mor arswydus. Meddyliodd am droi'n ôl a'i osgoi, ond yna cofiodd eiriau Iesu, a gwyddai na allai anwybyddu'r dyn claf; felly aeth ato i'w gysuro.

Pan glywodd Sant Ffransis offeiriad yn darllen hanes Iesu'n anfon allan ei ddisgyblion, gwyddai mai dyna orchymyn Iesu iddo ef hefyd. Gwisgodd wisg gyffredin y tlawd, ac aeth allan, fel y deuddeg disgybl gynt, i wasanaethu ei Arglwydd. Ymunodd eraill â Sant Ffransis, ac anfonodd ef hwy allan bob yn ddau i gynnig help i'r rhai oedd mewn angen, ac er iddynt hwythau fyw yn dlawd hefyd, ac addunedu i ddilyn Tlodi, Purdeb ac Ufudd-dod, llwyddasant i fyw bywydau o wir lawenydd.

Dyma ran o un o weddïau Sant Ffransis:

"Dyro inni ymdrechu, nid yn gymaint i gael ein cysuro,
ond i estyn cysur;
nid yn gymaint i gael ein deall ag i ddeall eraill;
nid yn gymaint i gael ein caru, ond yn hytrach i garu eraill.
Canys wrth roi y derbynnir,
wrth faddau y maddeuir inni,
ac wrth farw dros eraill fe'n genir i fywyd tragwyddol".

Dyma'r Bywyd y daeth Crist i'w sefydlu, a dyma'r Bywyd y mae ef yn galw arnom i ddod iddo.

Cân i unigolyn: Rho inni gymorth
Tôn 244: St. Magnus

Rho inni ffydd, O Arglwydd da
i'th ddilyn ar ein rhawd,
yn wylaidd mewn gwasanaeth pur,
yn gryf yn wyneb gwawd.

Rho inni ias wrth wrando'n ddwys
ar d'eiriau di o hyd,
a phlanna ynom ysfa gref
i'w gwasgar dros y byd.

Rho inni gred na ŵyra fyth
yn d'allu di a'th hedd,
trwy droi pob gelyn inni'n ffrind,
nid gosod min ar gledd.

Rho inni flas ar rannu'r cnwd
a gawn o'n dolydd ir,
â chyd-ddyn sy'n gweddïo'n ddwys
am law i gnydio'i dir.

Rho inni ddawn i faddau cam
er dyfned yw y loes,
gan estyn llaw o gariad pur
yn enw Gŵr y Groes.

Anelu at y nod

Rhydd y Parchedig Meurwyn Williams, yn ei gyfrol 'Am funud', gyfarwyddiadau ynglŷn â theithio ar reilffordd. Cyn cychwyn ar daith, meddai, dylai'r teithiwr benderfynu -

Yn gyntaf, i ble mae am fynd.

Yn ail, ar ba reilffordd, ac ar ba drên.

Ac yn drydydd, a fydd yn rhaid iddo newid cerbyd, ac os bydd, pryd ac ymhle.

Cyfarwyddyd arall oedd peidio mynd â gormod o fagiau i'w cario ar y daith. Onid yw'r cyfarwyddiadau hyn yn rhai da ar gyfer taith bywyd hefyd?

Fe ddylai pob un ohonom benderfynu ble 'ryn ni am fynd, cyn dechrau'r daith, oherwydd heb wneud hynny, nid oes gobaith gennym i gyrraedd y nod. Mae angen cyfeiriad ym mywyd pawb, cyn gwneud y cam cyntaf. Mae angen nod i anelu ato.

Ar ôl penderfynu ble i fynd, rhaid i ni gymeryd y ffordd gywir. Mae'r cyfarwyddiadau i gyd yn y Beibl. Meddai Iesu, 'Ewch i mewn trwy'r porth cyfyng, oherwydd llydan yw'r porth ac eang yw'r ffordd sy'n arwain i ddistryw, a llawer yw'r rhai sy'n mynd ar hyd-ddi. Ond cyfyng yw'r porth a chul yw'r ffordd sy'n arwain i fywyd, ac ychydig yw'r rhai sy'n ei chael'.

Meddai Iesu, dro arall, 'Myfi yw'r ffordd, a'r gwirionedd a'r bywyd. Nid yw neb yn dod at y Tad ond trwof fi'. Dywed y Salmydd, 'Y mae'r Arglwydd yn gwylio ffordd y cyfiawn, ond y mae ffordd y drygionus yn darfod'.

Emyn 381: Hyfryd eiriau'r Iesu
Tôn 312; Pinner

Ail ddarganfod Gair Duw

Ceir hanes diddorol iawn yn Ail Lyfr y Brenhinoedd, am lyfr a gollwyd, a'r modd yr achoswyd un o'r diwygiadau mwyaf erioed, trwy ei ddarganfod. Rhan o Lyfr Deuteronomiwm oedd y llyfr, a darganfuwyd ef pan oedd Joseia yn frenin. Daeth ef i'r orsedd pan oedd ond yn wyth mlwydd oed, a hynny ar adeg pan oedd brenhinoedd o'i flaen wedi troi oddi wrth Dduw, ac addoli gau dduwiau. Teyrnasodd Joseia am dri deg ac un o flynyddoedd, gan wneud 'yr hyn oedd yn uniawn yng ngolwg Duw', a chofiwn amdano'n bennaf oherwydd iddo adfer Gair Duw i'w barch dyladwy.

Ynystod wythfed flwyddyn ei deyrnasiad, dechreuwyd atgyweirio'r deml, a darganfyddwyd Llyfr y Gyfraith yno gan Hilcea yr archoffeiriad, llyfr oedd wedi bod ar goll am amser hir, a hynny, o bob man, yn y Deml! Ar gyfarwyddyd y broffwydes Hulda, aeth Joseia ati i ddwyn crefydd ei wlad i gydymffurfio â'r deddfau yn y llyfr.

Darllenwyd cynnwys y llyfr i'r henuriaid, a gwnaeth Joseia gyfamod â Duw i gadw'r gorchmynion oedd ynddo. Glanhawyd y deml o eilunaddoliaeth, ac yna'r holl wlad. Diswyddodd y brenin yr offeiriaid gwael, tynnodd i lawr yr allorau a godwyd i'r gau dduwiau, a llosgodd yr holl offer a wnaed ar eu cyfer. Dileodd y swynwyr a'r dewiniaid, y delwau a'r eilunod. Gwnaeth hyn er mwyn cadw a gweithredu geiriau'r gyfraith a ysgrifennwyd yn y llyfr a ddarganfyddwyd yn y deml. Trefnodd hefyd i gadw Pasg i'r Arglwydd yn Jerwsalem, yn ôl cyfarwyddyd y llyfr, gŵyl a esgeuluswyd ers amser maith gan y brenhinoedd a fu'n llywodraethu o'i flaen. Gan i Joseia fyw wrth fodd Duw, cafodd gyfle i ddychwelyd ei bobl at Dduw.

O golli Llyfr y Gyfraith, collodd y genedl barch at Dduw, ac arweiniodd hynny at golli parch at ddyn, ond pan ddechreuodd y brenin

Joseia weithredu ar gynnwys y llyfr, gwelwyd bywyd newydd yn y genedl Iddewig, fel sy'n digwydd pan ddaw crefydd yn rym didwyll ym mywyd pobl. Tasg amlwg y Gair yw ein dwyn wyneb yn wyneb â'n hunain fel y gwêl Duw ni, a'n helpu i adnabod ein hunain, yng ngoleuni Duw. Trwy ddarllen y Gair, myfyrio a gweithredu arno, cawn olwg newydd ar y Bywyd y daeth Iesu i'w sefydlu. Dyna ddigwyddodd trwy law y brenin Joseia, a gall ddigwydd eto.

Collir llawer o drysorau dan lwch ein hesgeulustod a'n difaterwch ni, ac onid yw'r Beibl yn un ohonynt? Sylweddolodd Joseia fod Gair Duw yn drysor rhy werthfawr i'w golli, rhoddodd barch yn ôl iddo, a daeth gobaith newydd i'r genedl.

Onid anwybyddu Gair Duw yw un o bechodau pennaf ein hoes ni? Cofiwn fod cynnwys y Beibl, er yn hen, yn dal yn gyfoes. Meddai Pedr, "Y mae'r glaswellt yn crino a'r blodeuyn yn gwywo, ond mae Gair yr Arglwydd yn aros am byth".

Rhannau o'r Salmau
(Un i ddarllen rhannau A a phawb i gyd-ddarllen rhannau B)

A: Ti yw fy rhan, O Arglwydd;
B: addewais gadw dy air.

A: Parchaf dy orchmynion, am fy mod yn eu caru,
B: a myfyriaf ar dy ddeddfau.

A: Pâr i'th drugaredd ddod ataf, fel y byddaf fyw,
B: oherwydd y mae dy gyfraith yn hyfrydwch i mi.

A: Y mae dy air, O Arglwydd, yn dragwyddol,
B: wedi ei osod yn sefydlog yn y nefoedd.

A: Y mae dy gyfiawnder di yn gyfiawnder tragwyddol,
B: ac y mae dy gyfraith yn wirionedd.

A: Bydded i holl frenhinoedd y ddaear dy glodfori, O Arglwydd,
B: am iddynt glywed geiriau dy enau.

A: Arglwydd, clyw fy ngweddi, gwrando ar fy neisyfiad;
B: ateb fi yn dy ffyddlondeb, ac yn dy gyfiawnder.

A: Rho i mi ddeall, er mwyn i mi ufuddhau i'th gyfraith,
B: a'i chadw â'm holl galon.

Pawb:
Mawl i Dduw am air y bywyd, gair y nef yn iaith y llawr,
gair y cerydd a'r gorchymyn, gair yr addewidion mawr;
gair i'r cadarn yn ei afiaith, gair i'r egwan dan ei bwn,
cafodd cenedlaethau daear olau ffydd yng ngolau hwn.

Emynau 332: O Arglwydd da, argraffa
Tôn 269: Pen yr yrfa

a 333: O Arglwydd, dysg im chwilio

Cyd-weddïwn:
Er i'r glaswellt grino, ac er i'r blodeuyn wywo, diolch i Ti, O Dduw, fod
dy Air di yn sefyll hyd byth. Boed i ni ei dderbyn yn llusern i'n traed ni
ac yn llewyrch i'n llwybrau ni. Gofynnwn hyn yn enw Iesu Grist, y Gair
a ddaeth yn Gnawd a phreswylio yn ein plith, yn llawn gras a gwirionedd.
Amen.

IESU'R HEN DESTAMENT A'R TESTAMENT NEWYDD

Cyd-weddïwn:

Datganwn dy glod, O Arglwydd ein Duw,
dy wyrthiau a'th nerth sy'n hynod eu rhyw;
d' ogoniant a'th harddwch a welir drwy'r byd,
a phopeth a greaist sy'n rhyfedd i gyd.
Gofynnwn am dy bresenoldeb yn yr oedfa syml hon; rho inni dy arweiniad, fel bo'r cyfan a lefarwn yn glod i ti, a'n cân yn llawenydd i ti. Tywys ni drwy'r oedfa yn nerth dy Ysbryd, a chyfoethoga ein meddyliau â'th feddyliau sanctaidd di. Diolchwn i ti o'r newydd am dy Fab, a gofynnwn y cyfan yn ei enw. Amen.

Emyn 441: Wele cawsom y Meseia
Tôn 369: Wyddgrug

Yn yr oedfa hon, byddwn yn sôn am rai o'r ffeithiau a broffwydwyd ac a ysgrifennwyd am Iesu Grist yn yr Hen Destament, flynyddoedd lawer cyn ei eni. Gwelwn sut y gwireddwyd yr hanesion hyn yn y Testament Newydd, ym mywyd Iesu.

Cofiwn, un tro, iddo ddweud, 'Cyn geni Abraham, yr wyf fi', ac meddai wedyn, 'Gorfoleddu a wnaeth Abraham o weld fy nydd i; fe'i gwelodd, a llawenhau'. Ni chredodd y bobl ef; yn hytrach codasant gerrig i'w taflu ato.

Dyma sut mae Jeremeia yn sôn am ddyfodiad Crist -"Wele'r dyddiau yn dod," medd yr Arglwydd, "y codaf i Ddafydd Flaguryn cyfiawn, brenin a fydd yn llywodraethu'n ddoeth, yn gwneud barn a chyfiawnder yn y tir. Yn ei ddyddiau ef fe achubir Jwda ac fe drig Israel mewn diogelwch; dyma'r enw a roddir iddo: 'Yr Arglwydd ein Cyfiawnder.'

Mae Eseia wedi sôn am Iesu fel Blaguryn hefyd. Meddai Eseia -

Darllen: Eseia 11: 1-10 Cangen o Jesse

37

Mae Eseia wedi proffwydo am Iesu fel 'Goleuni' hefyd. Meddai'r proffwyd, "Y bobl oedd yn rhodio mewn tywyllwch a welodd oleuni mawr; y rhai a fu'n byw mewn gwlad o gaddug dudew a gafodd lewyrch golau. Canys bachgen a aned i ni, mab a roed i ni, a bydd yr awdurdod ar ei ysgwydd. Fe'i gelwir, Cynghorwr rhyfeddol, Cawr o ryfelwr, Tad bythol, Tywysog heddychlon."

Ganwyd Iesu, gan ddwyn goleuni i fyd o dywyllwch, a darllenwn amdano ei hun yn dweud,"Myfi yw goleuni'r byd. Ni fydd neb sy'n fy nilyn i byth yn rhodio'n y tywyllwch, ond bydd ganddo oleuni'r bywyd."

Ysgrifennodd y Parchedig Eirug Davies am y goleuni hwn fel hyn -

Dy olau di, fy Nuw,
yn wyneb Iesu mawr
yw f'unig obaith mwy
ar dywyll ffyrdd y llawr;
y sêr a'm llywiai dro,
fe'u collais hwy i gyd
o dan gymylau braw
a'r niwl a guddiai'r byd

Dilynais lwybrau lu
wrth lamp fy neall gwan,
a disgwyl gweled drwy
bob dryswch yn y man;
mi wn yn awr nad oes
oleuni ynof fi
ond digon i ddyheu
am ddydd dy gariad di.

Fy ngweddi fo am gael
yr Iesu'n Arglwydd im,
ac ef yn bopeth mwy,
a mi fy hun yn ddim,
yn ddim ond llusern frau
i ddal ei olau ef,
i'm tywys heibio i'r nos
at fore claer y nef.

Mae llawer o'n hemynau hefyd yn weddïau. Gweddi yw cyfieithiad Casi Jones o emyn Graham Kendrick, sef Gair Disglair Duw. Gadewch i ni ganu'r emyn hwnnw nawr, gan weddïo, gyda'r emynydd, y 'daw ein bywydau ninnau yn ddrych i oleuni Duw'.

Emyn 228: Dad, dy gariad yn glir ddisgleiria
Tôn 192: Gair Disglair Duw

Awn yn ôl i'r Hen Destament eto, lle mae'r proffwyd Eseia'n rhag-ddweud am Un yn cyflawni gwyrthiau o iachâd fel hyn, "Fe agorir llygaid y deillion a chlustiau'r byddariaid; fe lama'r cloff fel hydd, ac fe gân tafod y mudan."

Pan ddechreuodd Iesu ar ei weinidogaeth gyhoeddus, gwnaeth yn gywir fel y proffwyddodd Eseia. Mae Mathew yn disgrifio Crist fel un yn mynd o amgylch yr holl bentrefi, yn pregethu efengyl y deyrnas, ac yn iacháu clefyd a llesgedd. Dyma hanes rhai o'i wyrthiau iacháu –

Darllen: Mathew 9: 27-31 Iacháu dau ddyn dall
Mathew 9: 32-34 Iacháu dyn mud
Mathew 15:29-31 Iacháu llawer

Emyn 301: O Grist, Ffisigwr mawr y byd
Tôn 251: Deep Harmony

(Awgrymir i un o'r gynulleidfa i ganu 4 pennill o Emyn 393 o'i sedd, yn ystod y weddi sy'n dilyn. Tôn rhif 324: Quem Pastores Laudavere, fel a ganlyn)

Cyd-weddïwn:
    O Dduw, mae swyn i ni yn enw a hanes Iesu,
    yn hanes ei eni ac yn ei eiriau,
    yn ei gariad a'i gydymdeimlad â dynion,
    yn ei weithredoedd ac yn ei esiampl.

Pennill 1:

> Iesu, Geidwad bendigedig,
> ffrind yr egwan a'r methedig,
> tyner ydwyt a charedig;
> rho dy ras yn nerth i ni.

Diolch, Arglwydd, am y rhai a gofnododd rywfaint o'i hanes, digon i ddangos inni mai dyma'r dyn gorau a anwyd erioed, dyn na lefarodd neb yn debyg iddo, un a aeth oddi amgylch gan wneud daioni, un heb dwyll ar ei wefusau na drwg yn ei feddwl na'i galon, un a adawodd yr esiampl orau i ni.

Pennill 2:

> Iesu, buost gynt yn faban
> yn y llety tlawd, anniddan;
> Brenin nef a daear weithian,
> dirion Arglwydd, ydwyt ti.

Diolch i Ti am iddo ddod i'n byd fel ni, yn gnawd ac esgyrn, ac yn gig a gwaed; un â newyn a syched, blinder a phoen, dagrau a hiraeth; un a wyddai beth oedd cael ei anghofio a'i adael yn unig, ei wadu, ei fradychu a'i ferthyru'n ifanc, ac am iddo wynebu pob peth yn wrol a chadarn.

Pennill 3:

> Iesu, drosom buost farw
> ar y croesbren creulon, garw:
> dirfawr werth yr aberth hwnnw
> egyr byrth y nef i ni.

Gwna ni'n debyg iddo, trwy gymeryd ein dysgu ganddo sut i fyw, i garu a gwasanaethu. Diolchwn am iddo ddod i'n byd fel ni, ond eto am ei fod mor annhebyg i ni, gan ei fod yn ddyn perffaith ac hefyd yn Dduw.

Maddau, Arglwydd, nad yw ei enw yn ddim mwy na llw ar wefusau cymaint ohonom. Crea ynom barch ac edmygedd ohono, ac awydd i weld ei ogoniant, fel dy unig Fab di a'n Ceidwad ninnau.

Nid er ei fwyn ei hunan y daeth i lawr o'r nef,
ond rhoi ei hun yn aberth dros eraill wnaeth efe.

Pennill 4:
> Iesu, gwyddost ein meddyliau,
> ein llawenydd a'n gofidiau;
> rho dy ras i'n tywys ninnau
> i'th wirionedd sanctaidd di.

Helpa ni i weld ein cyd-ddynion fel y gwelodd Iesu hwy, a helpa ni i'w caru fel y gwnaeth ein Gwaredwr. Gofynnwn hyn yn ei enw ef. Amen.

Emyn 416 i barti: Y mae in' Waredwr
Tôn 346

Darlleniadau a chân i A, B ac C:

A: Dywed y Salmydd, "Y mae hyd yn oed fy nghyfaill agos, y bum yn ymddiried ynddo, ac a fu'n bwyta wrth fy mwrdd, yn codi ei sawdl yn fy erbyn."

Gwyddom i gyd fod un a fu'n gyfaill agos i Grist, ac a alwyd arno i fod yn un o'r disgyblion, wedi bradychu ei Feistr. Pan oedd y disgyblion yn cyd-fwyta'r Swper Olaf, soniodd Iesu fod bradychwr wrth y bwrdd. Dyma sut y croniclwyd yr hanes yn efengyl Luc, am Iesu'n cyhuddo Jwdas o frad, ond ni roddodd enw'r bradwr - "Dyma law fy mradychwr gyda'm llaw i ar y bwrdd, oherwydd y mae Mab y Dyn yn wir yn mynd ymaith, yn ôl yr hyn sydd wedi ei bennu, ond gwae'r dyn hwnnw y bradychir ef ganddo."
    Ar ôl i Iesu ddweud hyn, dechreuodd y disgyblion eraill i ofyn p'run ohonynt oedd am wneud hynny; cafwyd yr ateb i gwestiwn y disgyblion yn fuan iawn. Cawn yr hanes yn yr Efengylau am y deg darn arian, sef y swm a dderbyniodd Jwdas am fradychu Iesu. Ni allwn ni ond dyfalu pam y gwnaeth Jwdas hyn i'w Feistr.

B: Luc 22: 47 – 53 Bradychu a dal Iesu

C: Emyn 537:(Penillion 1-3) Ar y groes, Waredwr dynion
Tôn 451: Cae'r Gorlan

A: Dyma a ddywedir am ddioddefaint Iesu yn yr Hen Destament –
Fe'i archollwyd am ein troseddau ni, a'i glwyfo am ein hanwireddau ni,'roedd pris ein rhyddid ni arno ef, a thrwy ei gleisiau ef y cawsom ni iachâd. 'Roedd wedi ei ddirmygu a'i wrthod gan ddynion, yn ŵr clwyfedig, cyfarwydd â dolur; yr oeddem fel pe'n cuddio ein hwynebau oddi wrtho, yn ei ddirmygu ac yn ei anwybyddu.
'Rydym i gyd wedi crwydro fel defaid, pob un i'w ffordd ei hun; a rhoes yr Arglwydd arno ef ein beiau ni i gyd. Fe'i gorthrymwyd a'i ddarostwng, ac nid agorai ei enau; arweiniwyd ef fel oen i'r lladdfa, ac fel y bydd dafad yn ddistaw yn llaw'r cneifiwr, felly nid agorai ei enau.'
Yn y Testament Newydd, darllenwn am y prif offeiriaid yn dwyn llawer o gyhuddiadau yn erbyn Iesu, eto ni ddywedodd ein Gwaredwr yr un gair i'w amddiffyn ei hun. Meddai Pilat, y rhaglaw wrtho, "Onid wyt yn clywed faint o dystiolaeth y maent yn ei ddwyn yn dy erbyn?" Ond ni roddodd ef iddo ateb i gymaint ag un cyhuddiad, er syndod mawr i'r rhaglaw.

A, B a C: Cyd-ganu Pennill 4 o Emyn 537
Tôn 451:Cae'r Gorlan

Cân i blant: Iesu'r Bugail
Tôn: Galw

Iesu yw'r Bugail sydd wastad wrth law,
arno dibynnwn beth bynnag a ddaw,
geilw ni'n dirion i'w fynwes ei hun,
gŵyr ef ein henwau bob un.

Cytgan:
Iesu, Iesu,
Ti sy'n ein galw pan grwydrwn yn ffôl,
Iesu, Iesu,
'nôl i esmwythyd dy gôl.

Iesu yw'r Bugail sy'n clywed ein cais,
etyb ni'n union, yn addfwyn ei lais,
rhydd inni gysur mewn gofid a loes,
rhydd inni gymorth drwy'n hoes.

Cytgan:

Dilyn y Bugail yn ffyddlon a wnawn,
ar ei gynghorion yn ufudd gwrandawn,
am ei haelioni mae'n haeddu ein clod,
Ef yw y gorau sy'n bod.

Cytgan:

Proffwydodd Amos y byddai Duw'n dwyn tywyllwch i'r ddaear, trwy ddweud, 'Gwnaf i'r haul fachlud am hanner dydd, a thywyllaf y ddaear gefn dydd golau'.

Adroddir yn Efengyl Ioan am y tywyllwch a ddaeth pan oedd Crist ar y groes - 'A phan ddaeth yn hanner dydd, bu tywyllwch dros yr holl wlad hyd tri o'r gloch y prynhawn.' Gadewch i ni gyd-ddarllen dau emyn sy'n sôn am Iesu'n marw drosom ni, ac yn dymuno i aberth Calfari lanw'r byd â gorfoledd, sef -

**Emyn 507: Caed modd i faddau pechod
ac Emyn 508: O Iesu croeshoeliedig**

Soniodd Eseia am y bedd gafodd Iesu fel hyn, 'Rhoddwyd iddo fedd gyda'r rhai anwir, a chyda'r cyfoethog yn ei farwolaeth'. Gwireddwyd hyn eto, oblegid darllenwn yn y Testament Newydd am Joseff, gŵr cyfoethog o Arimathea yn rhoi benthyg ei fedd i Grist.

Nid dim ond bedd y cafodd Iesu ei fenthyg gan ddynion. Mae yna sawl amgylchiad lle digwyddodd hynny, yn dechrau o adeg ei enedigaeth. Mae'r Parchedig W.D.Roberts wedi eu crynhoi i un darn hyfryd, sef 'Yr Iesu'n gofyn benthyg'.

Yr Iesu'n gofyn benthyg
(2 ifanc i adrodd y penillion bob yn ail)

Bu'r Iesu'n ymofyn am fenthyg
rhai pethau yn ystod ei daith,
er mwyn cael y bobl i ddeall
gogoniant ei deyrnas a'i waith.

Gofynnodd am fasged llanc ifanc
a'i dorthau a'i bysgod ynghyd,
a thrwyddynt fe borthodd y miloedd
trwy wyrth a fu'n synnu'r holl fyd.

Bu iddo fenthyca y preseb
i'w eni mewn gwely mor wael,
ac yno gorweddodd ein Ceidwad
am nad oedd gwell llety i'w gael.

Fe drefnodd gael benthyg yr asyn
gan gyfaill, pwy bynnag oedd ef;
marchogodd ar hwnnw i'w deyrnas
a'r dyrfa'n ei hebrwng i'r dref.

Gofynnodd i Pedr am fenthyg
y llong oedd yn segur gerllaw,
a throdd hi yn bulpud, i gymell
pob enaid i'r gwynfyd a ddaw.

Gofynnodd am fenthyg ystafell
i gynnal ei swper a'i wledd,
ac yno ffarweliodd â'i ffrindiau
cyn myned i'r groes ac i'r bedd.

Gofynnodd am fenthyg y geiniog
i ddysgu am deyrnged a threth,
a rhoddi i Gesar ei eiddo,
a'i eiddo i Dduw yn ddi-feth.

Wrth orffen ei ymdaith, cadd fenthyg
bedd newydd a dorrwyd mewn gardd,
oddi yno cyfodod i'w deyrnas,
yn Frenin brenhinoedd mor hardd.

Dechreuir yr ail salm ar hugain gyda'r geiriau, "Fy Nuw, fy Nuw, pam yr wyt wedi fy ngadael?" Dyna rai o eiriau Crist pan oedd ar y groes. Yn nes ymlaen dywed y Salmydd, "Y maent yn trywanu fy nwylo a'm traed." Fe ddigwyddodd hynny hefyd pan groeshoeliwyd Iesu, hanes a ddarllenwn yn yr efengylau.

Meddai'r Salmydd eto, "Maent yn rhannu fy nillad yn eu mysg, ac yn bwrw coelbren ar fy ngwisg." Bwrw coelbren oedd yr arferiad pan oedd angen setlo rhyw fater arbennig, a dyna a wnaed ynglŷn â rhannu dillad Crist. Dyma'r hanes gan Ioan,

Wedi iddynt groeshoelio Iesu, cymerodd y milwyr ei ddillad ef, a'u rhannu'n bedair rhan, un i bob milwr. Cymerasant ei got hefyd; yr oedd hon yn ddiwnïad, wedi ei gweu o'r pen yn un darn. "Peidiwn â'i rhwygo hi," meddai'r milwyr wrth ei gilydd, "gadewch inni fwrw coelbren amdani, i benderfynu pwy gaiff hi."

Gwêl Micha'r dyddiau'n dod pan fydd pob dyn 'yn eistedd dan ei winwydden, a than ei ffigysbren, heb neb yn dychryn.' Gwêl Eseia ddyddiau tebyg, pan 'na chyfyd cenedl gleddyf yn erbyn cenedl, ac ni ddysgant ryfel mwyach.'

I bob Cristion, mae Iesu'n ganolog yn y gobaith hwn, oblegid ef yw'r Tywysog Tangnefedd y soniodd y proffwydi amdano, ganrifoedd cyn i Grist ddod i'r byd.

Heddiw, daliwn i ddisgwyl am fyd heb ryfel, byd lle mae pobloedd yn cyd-fyw mewn heddwch. Mae gobaith o hyd, oblegid atgyfododd Iesu, ac mae'n dal yn fyw. Ef sy'n ein cymell i garu'n gilydd, ac os bydd cariad yn y galon, bydd heddwch ar y ddaear.

Pan anwyd Iesu ym Methlem, bu seren yn goleuo'r ffordd i'r tri gŵr doeth a ddaeth i'w addoli a chyflwyno anrhegion o aur, thus a myrr iddo. Mae Mathew yn sôn am y seren fel hyn: 'Dyma'r seren a welsant ar ei chyfodiad yn mynd o'u blaen, hyd nes iddi ddod ac aros uwchlaw'r man lle 'roedd y plentyn. A phan welsant y seren, yr oeddent yn llawen dros ben.' Mae'r seren hon yn dal i gyfeirio a goleuo'r ffordd at Grist.

Seren Duw

Seren Duw sy'n rhoi goleuni
fel y gwnaeth ar ddydd y Geni;
mae'n ein cymell i glodfori
Trysor penna'r nef;
golau hon a'n dena'n raslon
i roi rhoddion gorau'r galon
i Gyflawnwr ein gobeithion,
'n ôl ei haeddiant Ef.

Seren Duw sy'n rhoi ymgeledd;
trwyddi gwelwn lwybrau rhinwedd,
hi a'n dwg o afael llygredd
i weld gwerth y groes;
a phan saif y Seren lachar
uwch tŷ dolur neu dŷ galar,
daw ei gwawl i'n dwyn yn eiddgar
i liniaru loes.

Seren Duw sy'n dal i geisio
tywys dyn, er mwyn datguddio
ffordd y Deyrnas nefol iddo,
'mhell o frwydrau cas:
deued pobloedd byd i lechu
dan y llewyrch mae'n lledaenu,
canys yma gwelir Iesu
yn goferu gras.

Gadewch i ni ddiweddu ein hoedfa trwy ganu emyn sy'n rhoi moliant i Dduw am Iesu'r Hen Destament, Iesu'r Testament Newydd, yr Iesu a ddeil yn fyw o oes o oes.

Emyn 422: Molwn di, O Arglwydd Dduw, Halelwia!
Tôn 352: Dewch i foli

Cyd-weddïwn:
O Dduw, helpa ni i gredu'n llwyr yn dy Fab, Iesu Grist. Boed i ni ymddiried ynddo, a'i dderbyn yn Waredwr ac yn Arglwydd ein bywydau, gan weithio drosto bob cyfle a gawn. Amen.

Y DEWIS

Cyd-weddïwn:
Tyrd atom ni, O Grëwr pob goleuni, tro di ein nos yn ddydd;
pâr inni weld holl lwybrau'r daith yn gloywi, dan lewyrch gras a ffydd.

Tyrd atom ni, O Dad ein Harglwydd Iesu, i'n harwain ato ef;
canmolwn fyth yr hwn sydd yn gwaredu, bendigaid Fab y nef.
Gofynnwn hyn yn ei enw ef. Amen.

Emyn 342: O Iesu, y ffordd ddigyfnewid
Tôn 276: Bethel

Mae'r gair 'ffordd' yn digwydd yn aml yn yr Hen Destament. Mae'r Salmydd yn sôn yn aml am wahanol ffyrdd, er enghraifft, ffordd union, ffordd cadernid, ffordd doethineb, ffordd cyfiawnder a ffordd gwirionedd, i enwi ond rhai. Dywed y Salmydd fod Duw yn berffaith ei ffordd, ac mae yn ein cymell ninnau i gerdded ar hyd y llwybrau a ddengys ef i ni, oblegid ffyrdd yn llawn daioni ydynt.

Mae'r Salmydd yn gweddïo ar Dduw i fod yn drugarog wrthym a'n bendithio, er mwyn i'w ffyrdd 'fod yn wybyddus ar y ddaear'. Mae'n sôn am ffordd union Duw, ac amdano'n gwaredu ei bobl, a'u harwain i ddinas, dinas Duw ei hun. "Gwyn eu byd y rhai perffaith eu ffordd", meddai,"y rhai nad ydynt wedi gwneud unrhyw ddrwg, y rhai sy'n rhodio yng nghyfraith yr Arglwydd." Oblegid bod eu calonnau yn bur, gallant ddweud,

"Diolchaf i'r Arglwydd am ei gyfiawnder, a chanaf fawl
i enw'r Arglwydd Goruchaf."
Mae'r Salmydd yn condemnio'r rhai sy'n rhodio ffordd trais, gwawd neu enllib, y rhai sy'n talu drwg am dda, y rhai sy'n casáu heddwch, a'r rhai sy'n llefaru â thafodau celwyddog. Condemnia'r gwŷr sy'n gorthrymu hefyd, y rhai enllibus a'r rhai sy'n cynllwynio i faglu traed eu cyd-ddynion. Gweddïa'r Salmydd ar Dduw i beidio â llwyddo eu bwriadau gwael; yn hytrach bydded i'r rhai hyn syrthio i'w rhwydau eu

hunain.

Gorffennir y salm gyntaf trwy ddweud, "Y mae'r Arglwydd yn gwylio ffordd y cyfiawn, ond y mae ffordd y drygionus yn darfod". Ond meddai'r Salmydd dro arall, "Graslon a thrugarog yw'r Arglwydd, araf i ddigio a llawn ffyddlondeb".

Yn ei 'Bregeth ar y Mynydd', mae Iesu ei hun yn dweud wrthym pa fodd y dylem ymddwyn yn y byd. Meddai ef, "Peidiwch â chasglu ichwi drysorau ar y ddaear, lle mae gwyfyn a rhwd yn difa, a lle mae lladron yn torri trwodd ac yn lladrata. Casglwch ichwi drysorau yn y nef, lle nad yw gwyfyn na rhwd yn difa, a lle nad yw lladron yn torri trwodd nac yn lladrata. Oherwydd lle mae dy drysor, yno hefyd y bydd dy galon.

Gofynnwch, ac fe roddir i chwi; ceisiwch, ac fe gewch; curwch ac fe agorir ichwi. Oherwydd y mae pawb sy'n gofyn yn derbyn, a'r hwn sy'n ceisio yn cael, ac i'r hwn sy'n curo agorir y drws. Ewch i mewn trwy'r porth cyfyng, oherwydd llydan yw'r porth ac eang yw'r ffordd sy'n arwain i ddistryw, a llawer yw'r rhai sy'n mynd ar hyd-ddi. Ond cyfyng yw'r porth a chul yw'r ffordd sy'n arwain i fywyd, ac ychydig yw'r rhai sy'n ei chael."

Meddai dro arall, "Yn wir, yn wir, 'rwy'n dweud wrthych, myfi yw drws y defaid. Lladron ac ysbeilwyr oedd pawb a ddaeth o'm blaen i; ond ni wrandawodd y defaid arnynt hwy. Myfi yw'r drws; os daw rhywun i mewn trwof fi, caiff ei gadw'n ddiogel, caiff fynd i mewn ac allan, a dod o hyd i borfa. Ni ddaw'r lleidr ond i ladrata ac i ladd ac i ddinistrio. Yr wyf fi wedi dod er mwyn i ddynion gael bywyd, a'i gael yn ei holl gyflawnder." Mae dwy ffordd o'n blaen felly, a chawn ninnau ddewis pa un i'w chymryd.

Yn ei Bregeth ar y Mynydd, mae Iesu'n ein dysgu sut i weddïo, trwy ddweud, "Peidiwch bod fel y rhagrithwyr, oherwydd y maent hwy yn hoffi cael eu gweld yn gweddïo." Y ffordd i ddod at Dduw a'i Fab yw mewn gostyngeiddrwydd, sef ffordd Iesu ei hun. Gadewch i ninnau nesáu ato Ef yn awr, trwy gyd-ddarllen emyn –

Emyn 378: Iesu, clywaf sŵn dy eiriau

Cân i berson ifanc: Estyn Dwylo
Tôn 221: Paderborn

Cofleidio'r trallodus yn fwyn a wnaeth Crist
pan welodd anghenion yr eiddil a'r trist;
pan redodd plant bychain y wlad ar ei ôl,
estynnodd ei ddwylo a'u codi i'w gôl.

Gŵr claf o'r gwahanglwyf a geisiodd lanhad,
a Christ a dosturiodd pan welodd ei stad;
"'Rwy'n mynnu dy wella", atebodd yn hael,
gan estyn ei ddwylo i gyffwrdd â'r gwael.

'R ôl syllu i lygaid anobaith dyn dall,
yr Arglwydd, yn ebrwydd, gywirodd y gwall,
estynnodd ei ddwylo a'u hiro â chlai,
am fod ei drugaredd yn llifo'n ddi-drai.

Adfywiodd ferch Jairus trwy estyn ei law,
ar waethaf y dyrfa ddirmygus gerllaw:
wrth estyn ei ddwylo i'r byddar a'r mud
datodwyd y rhwymau a'u llethodd cyhyd.

Un dydd, ger Bethania, cyn esgyn i'r nef,
bendithio'r disgyblion â'i ddwylo wnaeth Ef;
os nerthwn y gweiniaid pan glywn ni eu cri,
parhau i fendithio a wna, trwom ni.

Emyn 410 i barti: Mae cariad Iesu yn llanw 'mryd
Tôn 340: Cariad Iesu

Darllen: Luc 10: 38-42 Ymweld â Mair a Martha

Pan fyddai Iesu'n galw ym Methania, 'roedd Mair, bob amser, yn eistedd i wrando arno. Dyna pam y dywedodd ef, "Y mae Mair wedi dewis y rhan orau, ac nis dygir oddi arni." Galwodd Crist ddeuddeg o ddisgyblion, a gadawsant eu gwaith er mwyn ei ddilyn, ond ni orfododd y Gwaredwr hwy i wneud hynny. Mae'n wir mai Crist wnaeth y cais, ond dewis y disgyblion eu hunain oedd ymateb yn gadarnhaol a bod yn ffyddlon iddo. Mae Iesu'n galw arnom ni i'w ddilyn hefyd, ond nid yw yn ein gorfodi ninnau chwaith. Ni biau'r dewis, ac ynghlwm wrth y dewis mae cyfrifoldeb i fyw yn unol â'i ewyllys.

Mae William Williams, Pantycelyn yn sôn yn rhai o'i emynau am y dewis a wnaeth yntau. Dyma benillon o ddau ohonynt, sy'n mynegi hynny'n glir ac yn syml.

'Rwy'n dewis Iesu a'i farwol glwy'
yn Frawd a Phriod imi mwy;
ef yn Arweinydd, ef yn ben,
i'm dwyn o'r byd i'r nefoedd wen.

Dewisais ef, ac ef o hyd
ddewisaf mwy tra bwy'n y byd;
can gwynfyd ddaeth i'm henaid tlawd -
cael Brenin nefoedd imi'n frawd.
Fy nghysur oll oddi wrtho dardd;
mae'n Dad, mae'n Frawd, mae'n briod hardd;
f' Arweinydd llariaidd tua thref,
f'Eiriolwr cyfiawn yn y nef.

Gallwn ddilyn esiampl yr emynydd, trwy wneud ewyllys Crist, neu ddilyn ein chwantau ein hunain; gallwn anwybyddu Crist, neu ei dderbyn yn Arglwydd ein bywydau.

Emyn 345: O'r fath gyfaill ydyw'r Iesu
Tôn 279: Converse

Cwestiwn ac ateb i A a B:

A: Beth oedd dewis gŵr y llety lle ganwyd Crist?

B: Lle eilradd a gafodd Crist ganddo, sef beudy ac nid ystafell yn ei gartref.

A: Beth ddewisodd y bugeiliaid?
B: Gadawsant eu hanifeiliaid ar y rhos, er mwyn ymweld â'r Baban, a buont yn dweud wrth eraill amdano.

A: Beth oedd adwaith y doethion?
B: Teithiasant hwy o bell i weld Iesu, a rhoesant iddo anrhegion drud.

A: Beth am Herod pan glywodd am Iesu?
B: 'Roedd e'n eiddigeddus o'r Brenin newydd, a chwiliodd am gyfle i'w ladd.

A: A ddewisodd Iago ac Ioan yn ddoeth?
B: Do, oblegid gadawsant eu gwaith fel pysgotwyr ar alwad Crist, a gadawodd y disgyblion eraill eu gwaith hefyd.

A: Un o'r disgyblion oedd Pedr, ond beth wnaeth e'?
B: Bu yntau'n ufudd i Grist am flynyddoedd, ond gwadodd ei fod yn ei adnabod pan oedd yn y llys.Bu'n edifar am hynny, a chadwodd yn ffyddlon iddo wedyn drwy'i oes.

A: A beth am Jwdas, un arall o'r disgyblion?
B: Bu yntau'n edifar hefyd am werthu Crist i'w elynion, ond erbyn hynny 'roedd yn rhy ddiweddar, oblegid 'roedd eisoes wedi bradychu Crist am ddeg darn ar hugain o arian.

A: Beth oedd dewis Peilat y rhaglaw?
B: Collodd ei gyfle i amddiffyn Crist, a chafodd ein Gwaredwr ei groeshoelio.

A: A ddewisodd Paul yn ddoeth?
B: Gwrthwynebodd ef ddysgeidiaeth Crist ar y dechrau, a bu'n erlid Cristnogion, ond cafodd dröedigaeth, a daeth yn Apostol mawr y Cenhedloedd.

A: A wnaeth Mair y dewis gorau?

B: Do, ac arhosodd hi yn ymyl Crist drwy 'i hoes, hyd yn oed wrth y groes.

A: A beth amdanom ni? Beth yw ein dewis ni?

B: Ie, beth yw ein dewis ni? Mae'n rhaid i bawb ateb drostynt eu hunain. A ddewiswn ni ateb, "Arglwydd, dyma fi" fel y dywed yr emynydd?

Emyn 483: Mi glywaf dyner lais
(un i ganu'r penillion a phawb i uno'n y cytgan)
Tôn 407: Gwahoddiad

Darlleniad i'w rannu rhwng A, B ac C:

A: Dywedodd Iesu, "Myfi yw'r Drws", sef drws rhyngom ni a Duw. Dywed un emynydd, "Mae drws agored drwyddo ef i mewn i'r nef i ni." Fe ddown wyneb yn wyneb â llawer o 'ddrysau rhinweddau da' mewn bywyd. Dyma adnodau sy'n ein cymell i'w hagor wrth i ni fynd drwy'r byd.

B: DRWS GWEDDI: Parhewch i weddïo yn ddyfal, yn effro ac yn ddiolchgar.

C: DRWS ADDOLIAD: Ysbryd yw Duw, a rhaid i'w addolwyr ef addoli mewn ysbryd a gwirionedd.

A: DRWS DOETHINEB: Os yw rhywun yn ddiffygiol mewn doethineb, gofynned gan Dduw, ac fe'i rhoddir iddo.

B: DRWS LLAWENYDD: Tyrd i ymuno yn llawenydd dy feistr.

C: DRWS MADDEUANT: Maddeuwch i'ch gilydd; fel y maddeuodd yr Arglwydd i chwi, felly gwnewch chwithau.

A: DRWS TRUGAREDD: Meddai Iesu, "Trugaredd a ddymunaf, nid aberth."

B: DRWS TANGNEFEDD: Bydded i dangnefedd Crist lywodraethu yn eich calonnau.

C: DRWS GWASANAETH: Ni allwch wasanaethu Duw ac Arian.

A: DRWS DYFALBARHAD: Gadewch i ddyfalbarhad gyflawni ei waith, er mwyn i chwi fod yn gyfan a chyflawn.

A: Drysau rhinweddau da yw pob un o'r drysau a enwyd yn awr, drysau a gymeradwyir gan Iesu i ni gerdded trwyddynt, ond mae yna ddrysau y mae'r diafol yn ceisio ein denu i'w hagor, ac mae angen inni eu hosgoi. Dyma rai ohonynt: drysau anwiredd, digofaint ac eiddigedd, drysau malais, rhagrith, twyll a chynnen. Mae rhain yn ddrysau llydain, hawdd i'w hagor, ond rhain yw'r drysau y mae angen i ni eu cadw ar gau.

Emyn 386: O Grist , tydi yw'r ffordd at Dduw ein Tad
Ton 317: Diolch i Ti

Darlleniadau i 2:

Darllenydd 1:
Mae llun gan yr arlunydd Holman Hunt, sy'n dangos Iesu'n sefyll wrth ddrws ac yn curo. Nid oes clicied ar y drws, felly mae'n rhaid i'n Gwaredwr aros y tu allan, nes i'r drws gael ei agor gan rywun o'r tu fewn. Mae'r dewis gyda ni, agor y drws a chroesawu Crist i'n cartrefi, neu ei adael i guro.

Cofiwn yr adnod o eiddo Crist, "Wele yr wyf yn sefyll wrth y drws ac yn curo; os clyw rhywun fy llais ac agor y drws, dof i mewn ato, a bydd y ddau ohonom yn cydfwyta gyda'n gilydd."

Mynd i erlid Cristnogion oedd Paul, pan oedd ar y ffordd i Ddamascus, ond cafodd dröedigaeth. Gelwid ef yn Saul y pryd hwnnw, a dyma'r hanes –

Darllenydd 2: Actau 9: 3 – 9 Tröedigaeth Saul

Darllenydd 1:
Cafodd Paul ail gynnig gan Dduw, a'r tro hwn dewisodd yn ddoeth, ac yn lle erlid pobl Dduw, bu'n eu gwasanaethu trwy bregethu'r efengyl. Cafodd Paul ei garcharu ar gam yn ddiweddarach, a phan oedd ef a Silas yno'n gaeth, dewisodd y ddau i gerdded trwy ddrws gweddi. Dyma'r hanes –

Darllenydd 2: Actau 16: 25 – 29   Paul a Silas yn y carchar

Darllenydd 1.
Croeshoeliwyd Crist rhwng dau leidr. Dewisodd un ohonynt ddrws edifeirwch, ac yn ebrwydd agorwyd drws arall iddo, sef drws maddeuant. Cadwodd y lleidr arall bob drws ar gau, er iddo gael yr un cyfle â'r llall. Dyma sut mae Luc yn adrodd yr hanes- 'Yr oedd un o'r troseddwyr ar ei groes yn ei gablu, gan ddweud, "Onid ti yw'r Meseia? Achub dy hun a ninnau." Ond atebodd y llall, a'i geryddu: "Onid oes arnat ofn Duw, a thithau dan yr un ddedfryd? I ni, y mae hynny'n gyfiawn, oherwydd haeddiant ein gweithredoedd sy'n dod inni. Ond ni wnaeth hwn (sef Iesu) ddim o'i le." Yna dywedodd, "Iesu, cofia fi pan ddoi i'th deyrnas." Atebodd yntau, "Yn wir, 'rwy'n dweud wrthyt, heddiw byddi gyda mi ym Mharadwys."

Bu Iesu farw ar y groes, ond nid drws marwolaeth oedd y drws olaf iddo fynd trwyddo, oblegid o'i flaen 'roedd drws yr Atgyfodiad, drws y mae wedi ei adael yn agored i ni. Meddai Iesu un tro, "Fel y mae'r Tad wedi codi'r meirw ac yn rhoi bywyd iddynt, felly hefyd y mae'r Mab yntau yn rhoi bywyd i'r sawl a fyn."

Emyn 598: Ysbryd y gorfoledd
Tôn 501: Gwefus Bur

Cyd-weddïwn:
O Arglwydd, diolchwn i ti am gyfle arall i ddod i'th bresenoldeb tadol di, ac am i Iesu Grist ddod i'r byd i fod yn Waredwr ni.

Ymhlith holl ryfeddodau'r nef,
Hwn yw y mwyaf un –
gweld yr anfeidrol, ddwyfol Fod
yn gwisgo natur dyn.

Diolchwn am y wledd 'rwyt ti wedi ei darparu ar ein cyfer, a diolch i ti am y gwahoddiad i gyfranogi ohoni. Maddau inni am wrthod dy wahoddiad mor aml, a ffeindio rhywbeth arall i'w wneud â'n doniau ac â'n hamser, yn hytrach na'u rhoi i Ti. Dyro inni olwg newydd o Grist, er mwyn inni ddod i'w adnabod yn well ac i ddod i ddibynnu arno'n llwyrach. Boed iddo drosglwyddo ei feddwl anhunanol i ni a'n gwneud yn well disgyblion iddo. Diolch am ei eiriau o gysur, ei fywyd glân a'i safiad cadarn dros y gwir a'r da.

Gwyddom na phrofodd y byd ddaioni tebyg i ddaioni dy Fab, na doethineb rhagorach na 'i eiddo ef. Helpa ni i hoelio ein meddyliau arno, a'i dderbyn yn 'ffordd, gwirionedd a bywyd' ar hyd ein taith yn y byd, er mwyn i ni gerdded dros y llwybrau y dymuni di i ni eu cerdded.

Cyflwynwn bawb sydd mewn poen i'th ofal tyner di. Bydd gyda'r hen, y newynog a'r unig, a boed i ti blannu ynom ni yr awydd i'th helpu di wrth dy waith, drwy helpu ein cyd-ddynion.

Gyfrannwr pob bendithion, ac awdur deall dyn,
gwna ni yn wir ddisgyblion i'th annwyl Fab dy hun;
drwy bob gwybodaeth newydd, gwna ni'n fwy doeth i fyw,
a gwisg ni oll ag awydd gwas'naethu dynol-ryw.

Gofynnwn hyn yn enw Iesu Grist, ein Ceidwad a'n Brawd. Amen.

Darllen: Marc 12: 41- 44 Offrwm y Weddw

'Roedd y drysorfa yng nghyntedd y gwragedd yn y Deml, lle 'roedd tair cist ar ddeg, a phob un ar ffurf utgorn. Gallai'r bobl gyfoethog fforddio i roi symiau mawr o arian, sef arian i'w ddefnyddio i gadw'r Deml mewn cyflwr da, talu'r offeiriaid a helpu'r tlodion.

Ni fedrai'r wraig weddw roi llawer, oblegid gwraig dlawd oedd hi; yn wir, dwy hatling yn unig oedd ganddi. Gallai fod wedi rhoi un hatling yn y drysorfa a chadw'r llall iddi hi ei hunan, ond nid dyna a wnaeth. Rhoddodd y cyfan oedd ganddi i hyrwyddo achos Crist.

Dengys y ddameg fod y wraig weddw hon wedi rhoi ei bywyd yn

gyfan i'w Gwaredwr. Ni fynnai gadw dim yn ôl, a chanmolodd Iesu hi am ddewis yn ddoeth.

Yn Nameg y Deg Geneth, a geir yn Efengyl Mathew, darllenwn am ddeg o ferched ar eu ffordd i briodas, a lampau pob un ohonynt yn goleuo'n ddisglair; yn wir nid oedd gwahaniaeth i'w weld rhwng y merched, wrth ddechrau ar eu ffordd. Fodd bynnag, gan fod y priodfab yn hwyr yn cyrraedd, 'roedd olew y deg wedi mynd yn isel, ond gan fod y rhai call wedi dod â rhagor o olew gyda hwy, 'roeddynt yn gallu ail lanw eu lampau. Dyna pryd y daeth y gwahaniaeth rhwng y deg geneth i'r golwg. 'Roedd pump ohonynt wedi esgeuluso dod â rhagor o olew gyda hwy, a diffoddodd eu lampau.

Tra 'roeddynt i ffwrdd yn prynu rhagor o olew, daeth y priodfab, a chan bod y rhai call wedi paratoi yn ddigonol, cawsant fynd i mewn gydag ef i'r briodas, a chlöwyd y drws. Erbyn i'r rhai ffôl ddychwelyd, 'roedd yn rhy ddiweddar iddynt gael mynd i fewn. Nid eu dwylo hwy gaeodd y drws, ond hwy, oherwydd eu hesgeulustod fu'n gyfrifol am ei gau, ac ar ôl iddo gael ei gloi, nid oedd modd iddynt ei agor.

Fel y mae'n rhaid i lamp gael olew i'w chadw ynghyn, ac fel y mae'n rhaid i gorff gael bwyd i'w gynnal, mae angen cynhaliaeth ar yr enaid hefyd. Bwyd yr enaid yw ffrwythau'r Ysbryd, megis ffydd, cariad, tangnefedd, goddefgarwch ac addfwynder. Rhain yw trysorau'r deyrnas y daeth Crist i'w sefydlu.

Y gwahaniaeth rhwng y rhai call a'r rhai ffôl yn y ddameg, oedd mai dim ond y rhai call oedd yn barod i groesawu Iesu, pan ddaeth y cyfle. Ni ŵyr neb pryd y daw'r cyfle hwnnw. Onid esgeulustod ynglŷn â phethau pwysicaf bywyd yw un o'n pechodau pennaf ni heddiw? Ni all neb brynu olew drosom ni; rhaid i ni ei brynu ein hunain.

A chlöwyd y drws', dyna'r cymal mwyaf brawychus yn y ddameg. Oni ddylai'r geiriau beri i ni ofyn i ni ein hunain ai y tu fewn neu'r tu allan y cawn ein hunain?

Mae Duw wedi cerfio pob math o ddrysau ar gyfer dyn, a chawn gyfle i'w hagor neu eu cadw ar gau mewn bywyd. Ni sydd i ddewis.

Agor drysau

Cawn agor drws trugaredd pan fydd grudd
yn llaith gan ddagrau o ofidiau dwys;
a drws llawenydd, os bu dro ynghudd,
yn eglur ddaw, a chawn unioni cwys;
drws cariad gaiff ei agor led y pen
pan fynnwn ni ymestyn rhoddion hael;
trwy hwn cawn gyfle gwych i godi'r llen
ar angen cyd-ddyn yn ei gyflwr gwael:
os amau wnawn, fe ddengys Crist ddrws ffydd,
a thrwyddo ail-feddiannwn sicrwydd pur;
os hunanoldeb, drws gwyleidd-dra sydd
yn cynnig inni ffordd rhag taro'r mur;
mae'r drysau hyn, fel drws y nef ei hun,
i'w hagor neu i'w cau gan ddwylo dyn.

Emyn 195: Iôr anfeidrol, yn dy gwmni
Tôn 110: Preseli

Cyd-weddïwn:

Rho nerth, O Dduw, bob dydd
i rodio ger dy fron,
a dyfal ddilyn llwybrau ffydd
wrth deithio'r ddaear hon. Amen.

Y WYRTH FWYAF

Dewch, canwn yn llawen i'r Arglwydd, rhown floedd o orfoledd i graig ein hiachawdwriaeth.
Down i'w bresenoldeb â diolch, gorfoleddwn ynddo â chaneuon mawl.
Oherwydd Duw mawr yw'r Arglwydd, a brenin mawr goruwch yr holl dduwiau.
Yn ei law ef y mae dyfnderau'r ddaear, ac eiddo ef yw uchelderau'r mynyddoedd.
Eiddo ef yw'r môr, ac ef a'i gwnaeth; ei ddwylo ef a greodd y sychdir.
Dewch, addolwn ac ymgrymwn, plygwn ein gliniau gerbron yr Arglwydd a'n gwnaeth.
Oherwydd ef yw ein Duw, a ninnau'n bobl iddo a defaid ei borfa.

Cyd-weddïwn:
>   Ti, Arglwydd, a greodd y bydoedd,
>   a drefnaist i'r wawrddydd ei lle,
>   dy allu a daenodd y nefoedd,
>   a'th gerbyd yw cwmwl y ne';
>   gosodaist sylfeini y ddaear
>   a therfyn i donnau y môr,
>   mor fawr yw gweithredoedd digymar
>   a rhyfedd ddoethineb yr Iôr.

>   Ti, Arglwydd, a luniodd galonnau
>   i'th garu yn fwyfwy o hyd;
>   rhoist Iesu, Waredwr eneidiau,
>   yn gymod dros bechod y byd:
>   ein moliant, O Arglwydd maddeugar,
>   fo'n chwyddo fel llanw y môr,
>   am fawrion weithredoedd digymar
>   a rhyfedd ddoethineb yr Iôr.

O Dduw, gofynnwn i Ti am dy bresenoldeb a'th arweiniad yn yr oedfa hon, er mwyn Iesu Grist, ein Gwaredwr. Amen.

Emyn 206: Tyred, Arglwydd Iôr, i lawr
Tôn 170: Llandaf

Darlen: Efengyl Ioan 1: 1-18 Daeth y Gair yn Gnawd

Yn yr Efengylau, mae llawer iawn o sôn am wyrthiau Crist; gwyrthiau o iachâd ar gorff, meddwl ac ysbryd oedd y rhan fwyaf ohonynt. Cododd Ef rai o farw'n fyw, a rhoddodd iachâd i'r gwahanglwyfus, y mud a'r byddar, y dall a'r cloff, a bwriodd allan gythreuliaid. Weithiau, dangosodd reolaeth ar fyd natur, ond pa wyrth bynnag a gyflawnai, nid cyflawni gwyrthiau er mwyn tynnu sylw ato'i hun a wnai, ond i ddangos gallu ei Dad.

Mae'r gwyrthiau yn dangos dwyfoldeb Crist, gan roi sicrwydd i'w ddilynwyr nad person cyffredin oedd ef, ond ei fod yn Dduw yn ogystal â dyn. Profant fawredd Duw hefyd, ac mai trwy nerth ei Dad y cyflawnai Iesu'r gweithredoedd gwyrthiol hyn. Credodd rhai, pan oedd Iesu ar y ddaear, serch hynny, mai trwy Belsebwb, sef pennaeth y cythreuliaid, y cyflawnai Iesu'r gwyrthiau, er mwyn cwestiynnu ei awdurdod.

Ceisia rhai ein hargyhoeddi bod ffordd digon syml o esbonio llawer o'r gwyrthiau. Gellir esbonio'r wyrth o Iesu'n gostegu'r storm ar Fôr Galilea, er enghraifft, trwy ddweud bod stormydd yn digwydd yn aml ar y môr hwnnw, ac mai cyd-ddigwyddiad oedd y ffaith fod y storm, lawer tro, wedi gostegu pan oedd Iesu yn y cwch gyda'i ddisgyblion, a oedd ar y pryd yn ymddangos fel gwyrth. Mae pobl felly yn gwrthod gallu Crist, gan ddweud mai dyn cyffredin oedd, ac nad oedd yn Dduw yn ogystal â dyn.

Dywed Ioan yn ddigon eglur yn ei efengyl, fod y gwyrthiau wedi eu cofnodi, 'er mwyn i chwi gredu mai Iesu yw'r Meseia, Mab Duw, ac er mwyn i chwi, trwy gredu, gael bywyd yn ei enw Ef'. Boed i ni gredu a derbyn dysgeidiaeth Crist felly, trwy dderbyn yr agwedd ysbrydol o'r wyrth, a dod, trwy ei wyrthiau, i adnabod Crist yn well.

Geiriau i rywun eu hadrodd neu eu canu ar y dôn Noel: Caneuon Ffydd 380: M.46

Ni ddaethost, Iesu da, i'n plith
i gael daearol fri,
un gwylaidd fuost Ti bob cam
o'r daith i Galfari;
nid llety mewn brenhinol lys
dderbyniodd di i'r byd,
ond stabl lom rhyw asyn bach,
a'i breseb fu dy grud.

Ni cheraist rwysg na chyfoeth byd,
ni cheisiaist uchel dras;
fe olchaist draed y deuddeg gŵr
gan gym'ryd agwedd gwas;
ni'th demtiwyd di gan urddas march,
ni welaist rym mewn cledd;
trugaredd, gras a chariad fu
dy arfau hyd dy fedd.

Ni roddaist bwys ar wisg na gwedd
nac uchel swyddi'r byd;
addoli Duw a charu dyn
a aeth yn llwyr â'th fryd:
diolchwn i Ti, Iesu cu,
am ddod i'r byd mewn cnawd,
i ddangos cariad tadol Duw
a bod i ni yn Frawd.

Cyd-weddïwn:
Wrth feddwl am dy gariad a'th haelioni mawr tuag atom, o ddydd i
ddydd, o wythnos i wythnos ac o flwyddyn i flwyddyn, rhoddwn i Ti ein
diolch, O Dduw. Planna ynom ysbryd gwylaidd yn awr, wrth sylweddoli
dy fawredd di a'n gwendid ninnau, ac wrth sylweddoli dy berffeithrwydd
di a'n diffygion ninnau. Diolch i Ti am dy gwmni, am fod yn barod i
wrando arnom a'n derbyn fel dy blant.

Diolchwn i Ti am y Beibl, llyfr sy'n sôn amdanat ti a'th Fab, llyfr
sydd o fewn cyrraedd pob un ohonom, llyfr y gallwn ei agor a'i ddarllen.

Maddau i ni am ei gadw o'r golwg yn ein cartrefi mor aml, a'n difaterwch wrth esgeuluso ei ddarllen a dysgu mwy amdanat Ti a'th ddyheadau ar ein cyfer. Crea hyder newydd yn ein calonnau, hyder i ddod yn nes atat, hyder i ddweud wrth eraill am dy gariad a'th ras, ac am dy allu i'n newid ni, ond i ni ddymuno i Ti wneud hynny.

Diolchwn i Ti am eglwysi ein gwlad a'n byd. Maddau i ni ein diffygion, a thlodi ein gweledigaeth. Dysg i ni wrando ar y cynlluniau sydd gennyt ar ein cyfer, a bod yn barod i weithredu arnynt.

Cyffwrdd ynom, Dduw pob rhinwedd,
nertha ni â'th Ysbryd Glân,
i droi'n gweddi'n edifeirwch,
a throi'n ffydd yn golofn dân:

rhoist dy unig Fab i farw
dros anufudd deulu'r llawr;
gad i ninnau brofi'r cariad
gwyd o'i atgyfodiad mawr.

Diolchwn am dy gariad, ac am i Ti anfon Iesu Grist i'n daear i ddweud wrthym am dy gariad perffaith di. Diolchwn am iddo ein hargyhoeddi o'th gariad, trwy fyw a marw drosom. Dysg i ni gerdded ei lwybrau Ef, llwybrau cariad, maddeuant, goddefgarwch a thangnefedd, y llwybrau a'n dwg yn nes atat Ti, ac i garu ein cyd-ddynion yn well.

Maddau i ni, yng nghanol ein digonedd, am anghofio mor aml am ein cyd-ddynion yn y trydydd byd. Dwysbiga ein calonnau ni, a rho ynddynt gariad tebycach i gariad Crist, y cariad mwyaf a welodd y byd erioed. Gofynnwn hyn yn ei enw Ef. Amen.

Emyn 871: Dyro dy gariad i'n clymu
Tôn 703: Dyro dy gariad

Darllen: Luc 17: 11-19 Glanhau Deg o Ddynion Gwahanglwyfus

Afiechyd creulon iawn yw'r gwahanglwyf, ac mae sôn amdano yn yr Hen Destament a'r Testament Newydd. Mae'r haint yn bod o hyd mewn rhai gwledydd, ond nid yw mor lluosog ag y bu. Yn nyddiau Iesu ar y ddaear, pan fyddai rhywun yn gweld smotiau ar ei groen, 'roedd yn rhaid iddo ddangos ei hun i'r offeiriad. Byddai hwnnw yn ei archwilio, ac os gwelai fod y dolur yn heintus, byddai'n cyhoeddi bod y claf yn aflan, ac 'roedd yn rhaid iddo fyw ar wahân i bawb. Nid oedd hawl ganddo i fynd yn nes na chwe troedfedd at berson iach, ac os byddai'r gwynt o gyfeiriad y dyn claf, 'roedd yn rhaid iddo gadw hanner can llath oddi wrtho. Yn aml, byddai'r claf yn marw, ond gyda rhai doluriau tebyg i'r gwahanglwyf, fe fyddai'r claf yn cael ei archwilio eilwaith gan offeiriad, ac os byddai gwellhad, rhoddid hawl iddo i ail ymuno â'i deulu.

Gwelir hollt ym mur ambell hen eglwys yng Nghymru, lle byddai'r gwahangleifion yn arfer sefyll y tu allan i wrando ar y gwasanaeth, am na chaent ddod i mewn i'r eglwys a chymysgu â dynion iach.

Yn hanes un gŵr gwahanglwyfus, dywedir bod Iesu wedi cyffwrdd ag ef, rhywbeth na wnai neb fel arfer. Eithriad i hyn oedd Gandhi; arferai yntau gyffwrdd â'r cleifion gwahanglwyfus yn India; mor debyg oedd ef i Iesu, er na chyfrifai ei hun yn Gristion.

Yn hanes Glanhau'r Deg o Ddynion Gwahanglwyfus, dim ond un o'r deg ddaeth i ddiolch i Iesu am ei lanhad. Mae'n siwr bod gwers mewn diolchgarwch i ni yn yr hanes hwn. Dysg i ni hefyd fod Iesu Grist yn barod i estyn ei law i bob un ohonom, beth bynnag yw ein cyflwr, a'n nerthu i ail gydio mewn bywyd, yn faterol ac yn ysbrydol, pan fydd hynny'n anodd. Er nad oedd gwellhad i'r gwahanglwyf yr adeg hon, cyflawnodd Iesu'r wyrth o adfer iechyd i'r deg gŵr gwahanglwyfus hyn.

Dwylo ffeind oedd dwylo Iesu ymhob man,
yn iachâu y cleifion a bendithio'r gwan.

Darllen: Efengyl Ioan 2:1-12 Y Briodas yng Nghana

Gwyrth arall a gyflawnodd Iesu oedd troi'r dŵr yn win, ac Ioan yn unig sy'n adrodd hanes yr hyn ddigwyddodd yn y briodas honno yng Nghana, Galilea. Mae'n ddigon tebyg fod Ioan ei hun yno, gan ei fod yn adrodd yr hanes mor fanwl. Gŵyr fod Mair yno, a hefyd y disgyblion eraill; gŵyr hefyd am yr ymgom a fu rhwng Iesu a'i fam, a phob symudiad a wnaed.

Mae mwy i'r wyrth o droi'r dŵr yn win yn y briodas yng Nghana, na bod Iesu wedi gwneud rhyw dric gweledol. Nid er mwyn gwneud yn siwr, os byddai'r gwin yn gorffen, y byddai Iesu'n gallu troi dŵr yn win, y cafodd ef ei wahodd i'r briodas. Gallwn gymeryd yr agwedd mai dyna'n unig yw'r hanes wrth gwrs, ond mae i'r wyrth hon eto ystyr ysbrydol, sef bod cael cwmni Iesu yn dod â melyster i'n bywydau. Mae'n ein dysgu bod Crist yn barod i ddod i ganol ein bywydau cyffredin ni, a rhoi blas i ni ar fyw, fel y dywed y Parchedig Rhys Nicholas yn ei emyn,

> Tydi a wnaeth y wyrth, O Grist, Fab Duw,
> Tydi a roddaist imi flas ar fyw'.

Ef sy'n rhoi'r Halelwia yn ein heneidiau ni.

Dengys y wyrth hon fod angen i ni roi gwahoddiad i Iesu i ddod mewn i'n calonnau, fel y gwahoddwyd ef i'r briodas, oherwydd nid yw e'n ei orfodi ei hun ar neb. Trodd Crist y dŵr yn win, nid yn y briodas hon yn unig, ond trwy droi cyd-ddynion oddi wrth Iddewiaeth, crefydd y Phariseaid, tuag at Gristnogaeth, gan roi i ninnau 'flas ar fyw', a'n dwyn yn nes at Grist.

Cân i unigolyn neu barti: Cariad Crist
Tôn:Sari Marais (Caniedydd yr Ifanc)

> Mae cariad Iesu'n llawn o swyn
> ac ar ei fron mae hedd,
> fy nghymell wna i brofi'r gras
> a'r mwyniant sy'n ei wledd;
> rhof glod i'r rhai a'm dysgodd gynt
> i blannu hadau'r Gair,
> a meithrin ynof ffydd i'm dwyn
> i nabod Baban Mair.
>
> Mae cariad Iesu'n llawn o gân
> i godi f' ysbryd dwys;
> pan fydd gofidiau'r byd yn drwm,
> ei fraich sy'n dal y pwys:

yn f'ymyl mae, rhag gadael cur
i lethu 'nghalon wan;
ble bynnag wyf, beth bynnag wnaf,
ei gariad yw fy rhan.

Mae cariad Iesu'n llawn o ras
na all y byd ei ddwyn;
ei galon bur ni wrthyd neb
a ddaw i leisio cwyn:
fy hunan rhof yn nwylo'r un
aeth trosof fi i'r groes,
can's profais rym ei gariad mawr,
a'i ganlyn wnaf trwy f' oes.

Emyn 387: Cariad Iesu Grist
Tôn 318: Haslemere

Darlleniad i A a B:

A: Dywedir am Efengyl Ioan, iddi gael ei hysgrifennu "er mwyn i chwi gredu mai Iesu yw'r Meseia, Mab Duw, ac er mwyn i chwi gael bywyd yn ei enw Ef." Yr hyn oedd yn bwysig i Ioan oedd mai Crist oedd y Meseia, Mab Duw. Nid oedd unrhyw amheuaeth yn ei feddwl.

B: Mae Iesu wedi dweud mwy amdano'i hun yn efengyl Ioan nag yn un o'r efengylau eraill, ac mae hyn yn ychwanegu at ein dealltwriaeth ac at ein hadnabyddiaeth ohono. Meddai amdano'i hun,

"Myfi yw bara'r bywyd. Ni bydd eisiau bwyd byth ar y sawl sy'n dod ataf fi, ac ni bydd syched byth ar y sawl sy'n credu ynof fi."

A: "Myfi yw goleuni'r byd. Ni bydd neb sy'n fy nghanlyn i byth yn rhodio yn y tywyllwch, ond bydd ganddo oleuni'r bywyd."

"Myfi yw'r drws. Os daw rhywun i mewn trwof fi, caiff ei gadw'n ddiogel, caiff fynd i mewn ac allan, a dod o hyd i borfa."

B: **"Myfi yw'r bugail da.** Y mae'r bugail da yn rhoi ei einioes dros y defaid."

"Myfi yw'r atgyfodiad a'r bywyd. Pwy bynnag sy'n credu ynof fi, er iddo farw, fe fydd byw; a phob un sy'n byw ac yn credu ynof fi, ni bydd marw byth."

A: **"Myfi yw'r ffordd a'r gwirionedd a'r bywyd.** Nid yw neb yn dod at y Tad ond trwof fi."

"Myfi yw'r wir winwydden; chwi yw'r canghennau. Y mae'r hwn sydd yn aros ynof fi, a minnau ynddo ef, yn dwyn llawer o ffrwyth, oherwydd ar wahân i mi ni allwch wneud dim."

B: Dywedodd Philip wrtho un tro, "Arglwydd, dangos i ni y Tad." Meddai Iesu, "Y mae'r sawl sydd wedi fy ngweld i wedi gweld y Tad." Dywedodd dro arall, "Myfi a'r Tad, un ydym." Trwy ei ddysgeidiaeth down i adnabod Iesu, a thrwy Iesu down i adnabod Duw.

Emyn 411 i blant: Caru'r Iesu
Tôn 341

Clywsom am dair o wyrthiau Iesu yn yr oedfa hon, dim ond tair allan o nifer o wyrthiau a gyflawnodd Ef trwy nerth ei Dad, ond testun yr oedfa yw Y WYRTH FWYAF. Pa wyrth yw'r wyrth fwyaf a ddigwyddodd erioed yn hanes canlynwyr Crist? Onid Crist ei hun yw'r Wyrth honno? Proffwydodd Eseia amdano fel hyn, flynyddoedd lawer cyn ei eni -
'Ein dolur ni a gymerodd a'n gwaeledd ni a ddygodd; fe'i harchollwyd am ein troseddau ni, a'i glwyfo am ein hanwireddau ni; trwy ei gleisiau Ef y cawsom ni iachâd; ni wnaethai gam â neb, ac nid oedd twyll yn ei enau.'

   Ond meddai Eseia eto, "Pwy sy'n malio am ei dynged?" Wrth gofio cwestiwn Eseia, oni allwn ninnau heddiw ofyn yr un cwestiwn – Pwy sy'n malio am dynged Crist?

Mae pechod yn allu cryf, digon cryf i groeshoelio Crist, yr un perffaith, ond diolchwn am ei atgyfodiad, sydd yn brawf bod gallu cryfach na phechod yn llywodraethu bywyd, a dyna'r fuddugoliaeth a gynigir i bob un sy'n credu yng Nghrist a'i gariad. Mae'n ein dwyn i berthynas newydd â Duw.

Emyn: Ein Gwaredwr
Tôn 622: Tŵr-gwyn   M.36.neu Tôn 388:Ar gyfer heddiw'r bore

Gwnaed gwyrth ym Methlem Jwda
    'mhell yn ôl,
pan anwyd ein Meseia
    'mhell yn ôl;
'r ôl disgwyl hir ac eiddgar
am olau'r Seren lachar,
daeth cariad Duw i'r ddaear
    'mhell yn ôl,
trwy Iesu'r Baban hawddgar
    'mhell yn ôl.

Er dioddef ing croeshoeliad
    ganddo Ef,
lledaenwyd gwyrthiol gariad
    ganddo Ef;
er ffoi o'r apostolion,
er dicter y gelynion,
fe dalwyd ein dyledion
    ganddo Ef,
maddeuwyd, er yr hoelion,
    ganddo Ef.

Mae'n dal i faddau'n raslon,
    dyma wyrth!
rhydd groeso i'r afradlon,
    dyma wyrth!
os plygwn i'w arglwyddiaeth

a derbyn ei ddysgeidiaeth,
cawn hedd ac iachawdwriaeth,
    dyma wyrth!
try'r bedd yn fuddugoliaeth,
    dyma wyrth!

Y WYRTH FWYAF

Caed Baban,
yn Dduw ac yn ddyn,
yn Brynwr a Brawd;
caed Bugail i borthi ei braidd
ac i gludo ei ŵyn yn ei gôl,
caed Bendithiwr i roi Bywyd i'w bobl.

Rhodia yn rhydd o ragrith, gyda'i ffiol o gariad yn gorlifo;
llwybrau'r nef yw ei lwybrau Ef, canys o'r nef y daeth;
cyd-deithia gyda'r distadl, hyrwydda hynt yr isel eu hysbryd,
geilw heibio i'r galarus a bywha eu bronnau briw;
Ef yw'r Brawd sy'n brawf o allu Duw.

Pan gwymp gwirionedd,
pan geidw dyn ei gyd-ddyn draw,
gwelir y Gŵr ar ffordd y Gair,
a'i gêr yn gariad i gyd:
galwodd ei griw
i lwybr gwasanaeth,
bwydodd â Bara'r Bywyd,
diododd â'i dangnefedd.

Cymerodd y daith drwy'r ardd
a gweddïodd, er i'r gweddill gysgu;
cariodd ei groes i Golgotha
a throsom bu farw'n Ferthyr,
a thrwy ei waed caed llwybr drwy'r llen,
lle cawn adnabod Duw yn llwyr.

Grym ei gariad a goncrodd gasineb
a daeth yn rhydd y Trydydd Dydd
i fyw'n fythol ymhob calon
a fynn ei fynwesu.

Crist yw'r cwmpeini a'n cwmpasa'n deyrngar
a'n dwyn i'r Deyrnas lle mae'r Tad yn teyrnasu,
a lle mae lloches i ni.

Y neb a'i gwêl Ef a wêl Dduw,
a gwyrth yw cael ei 'nabod.

Emyn 563: I Dduw bo'r gogoniant
Tôn 475

Cyd-weddïwn:
O Dduw, rho d'olau glân i'n llwybrau i gyd,
dy gariad at ddoluriau'r byd,
a nerth i'n cynnal ni o hyd
yn enw Iesu Grist. Amen.

GŴYL Y GENI

Cyd-weddïwn:
O Arglwydd, dysg in' chwilio i wirioneddau'r Gair,
nes dod o hyd i'r Ceidwad fu gynt ar liniau Mair;
mae ef yn Dduw galluog, mae'n gadarn i iacháu;
er cymaint yw ein llygredd, mae'n ffynnon i'n glanhau.
O Dduw, bydd gyda ni yn yr oedfa hon, a bendithia ni.amen

Adnodau o'r Salmau

Ll: Llefarydd;   P: Pawb.

Ll: Molwch yr Arglwydd, yr holl genhedloedd;
P: clodforwch ef, yr holl bobloedd:

Ll: oherwydd mae ei gariad yn gryf tuag atom,
P: ac mae ffyddlondeb yr Arglwydd dros byth.

Ll: Y mae Duw yn noddfa ac yn nerth i ni,
P: yn gymorth parod mewn cyfyngder.

Ll: Ni wnaeth â ni yn ôl ein pechodau,
P: ac ni thalodd i ni yn ôl ein troseddau.

Ll: Y mae cyfraith yr Arglwydd yn berffaith,
P: yn adfywio'r enaid;

Ll: y mae tystiolaeth yr Arglwydd yn sicr,
P: yn gwneud y syml yn ddoeth;

Ll: y mae deddfau'r Arglwydd yn gywir,
P: yn llawenhau'r galon;

Ll: y mae gorchymyn yr Arglwydd yn bur,
P: yn goleuo'r llygaid.

Ll: Bydded inni glywed yr hyn a lefara'r Arglwydd Dduw,
P: oherwydd bydd yn cyhoeddi heddwch i'w bobl;

Ll: bydd ffyddlondeb yn tarddu o'r ddaear,
P: a chyfiawnder yn edrych i lawr o'r nefoedd.

Ll : Dewch, addolwn ac ymgrymwn
P: plygwn ein gliniau gerbron yr Arglwydd a'n gwnaeth.

Emyn 162: Dechreuwch, weision Duw
Tôn 136:Carlisle

Bu disgwyl mawr yn y byd am Iesu Grist ymhell cyn iddo ddod. 'Roedd cenedl Israel wedi hen flino ar fyw dan ormes Rhufain, a disgwylient rywun i'w gwaredu o afael y dwylo estron.

Ers canrifoedd, cafodd cenedl Israel broffwydi oedd yn gwrando ar Dduw, rhai oedd, ar ôl gwrando, yn rhannu eu gwybodaeth â'r bobl. Gwelodd y proffwydi Un yn dod, oedd yn ddigon cryf i helpu pobl i ddwyn eu beichiau, ac un oedd yn ddigon da ei hun i ddysgu eraill y ffordd i fyw'n dda ac yn heddychlon.

Er bod dyn wedi gwneud drwg yn erbyn Duw, ni chadwodd Duw ei hun mewn tywyllwch. Yn hytrach, dangosodd ei hun trwy gariad a gofal cyd-ddynion, er mwyn rhoi cyfle i ddynion i chwilio am ffordd yn ôl at eu Creawdwr, a'u helpu i ail ddarganfod Duw.

Teimlodd rhai o'r proffwydi fod y genedl yn crwydro fel defaid, yn druenus a digyfeiriad, a buont yn gweddïo am ymwared, a theimlo bod Duw yn gwrando arnynt yn eu cyfyngder, ac y byddai'n anfon y Meseia atynt. Y gred gyffredin, er hynny, oedd mai rhyw frenin neu gadfridog fyddai'n dod i'w hachub, drwy fynd i ryfel yn erbyn y Rhufeiniaid.

Yn raddol, daeth trugaredd Duw yn amlwg iddynt, a gwawriodd y dydd pan ddaeth Un i'w hachub, nid brenin yn marchogaeth ar geffyl hardd, ond Baban bach, un na chafodd ond llety anifail yn gysgod, a phreseb anifail yn grud pan ddaeth i'r byd, ond hwn oedd 'Y Bachgen a aned i ni, a'r Mab a roed i ni' y bu'r proffwyd Eseia yn dweud amdano.

Darllen: Eseia 9: 2 – 7 Geni Bachgen

Rhannau i 2:

1: Ar yr amser penodedig, daeth yr angel Gabriel at ferch ifanc o'r enw Mair, i ddweud wrthi y deuai'n fam i Iesu, yr un y bu cymaint o ddisgwyl amdano. Cafodd Joseff ei annog, mewn breuddwyd, i fod yn garedig wrth Mair, a'i hamddiffyn rhag cam, gan ei sicrhau bod yr hyn a genhedlwyd ynddi yn deillio o'r Ysbryd Glân.

Canodd Mair emyn tlws iawn, emyn oedd yn mawrhau Duw. Fe'i ceir yn y bennod gyntaf o Efengyl Luc.

Darllen: Luc 1: 46 -55 - Emyn Mawl Mair

1: Nid amgylchiadau pobl, ac nid eu talentau na'u dysg sy'n eu dwyn yn agos at Dduw, ond calonnau hawddgar a da, a bywydau syml, sanctaidd a glân. Dau felly oedd Mair a Joseff, dau oedd yn rhodio gyda Duw, dau oedd yn cyd-gerdded ar lwybrau'r nef. Gwyddai Mair mai o ras Duw ac yn ôl ei ewyllys Ef y cafodd hi ei dewis i ddwyn Iesu Grist i'r byd, y Baban a ddeuai, ryw ddydd, yn Waredwr y Byd.

Yn ei hemyn o fawl i Dduw, mae Mair yn datgan ei theimlad o lawenydd yn yr Ysbryd Glân. Trwy lygaid ffydd, gwêl
diriondeb Duw yn edrych arni yn ei chyflwr di-nod;
a'i drugaredd i bobl gyffredin, o genhedlaeth i genhedlaeth.
Fel y proffwydi o'i blaen, credodd Mair nad y materol, ond yr ysbrydol a ddeuai i lywodraethu'r byd.

**Emyn 465 i unigolyn neu barti: Draw yn nhawelwch Bethlem dref
Tôn 389: Ceidwad Byd**

**Emyn 452: Clywch lu'r nef yn seinio'n un
Tôn 377: Mendelssohn**

Saif tref Bethlehem tua chwe milltir o Jerwsalem, wedi ei hadeiladu ar lechwedd bryn creigiog, a rhan ohoni ar ben y bryn. Gan mor serth oedd y llwybr, nid oedd yn hawdd na diogel iawn i ddringo iddi, gan fod y garreg galch yn gwneud y llwybr yn llithrig. Yno y cyrhaeddodd Mair a Joseff, wedi teithio yr holl ffordd o Nasareth, ac wedi blino'n llwyr. Yn anffodus, 'roedd y dref fechan yn llawn o ddieithriaid, ac nid oedd ystafell wag yn unman.

Yn ymyl y tai, yn fynych, 'roedd ystafell wedi ei chloddio allan o graig, os na fyddai ogof yno'n barod. Yno arferid gwneud llawer o orchwylion y gegin, tra yn y pen pellaf iddi 'roedd llety'r anifeiliaid. Mewn llety felly y bu raid i Mair a Joseff orffwys; yno y ganwyd Iesu, ac ym mhreseb anifail y rhoddwyd Ef i orwedd. Ni fu'r ffaith hon erioed yn dramgwydd i Grist i wneud ei waith, oblegid 'roedd E'n ŵr gostyngedig, ac nid ble dechreuodd ei daith, ond ble oedd E'n mynd i'w gorffen oedd yn bwysig iddo.

Dywed Paul, mewn llythyr at y Corinthiaid, sut y bu i'n Harglwydd, o'i ras, ac yntau'n gyfoethog, ddod atynt yn dlawd, er mwyn iddynt hwy ddod yn gyfoethog trwyddo ef. Dyna a wnaeth er ein mwyn ninnau hefyd; daeth yn ddigon tlawd i'r person tlotaf deimlo bod Crist yn frawd iddo.

Darllenwn yn efengyl Ioan amdano'n dweud –
Myfi yw bara'r bywyd;
myfi yw goleuni'r byd;
myfi yw'r bugail da;
myfi yw'r atgyfodiad a'r bywyd;
myfi yw'r ffordd, y gwirionedd a'r bywyd;
myfi yw drws y defaid
a myfi yw'r wir winwydden.
Er iddo dystiolaethu amdano'i hun fel hyn, a gweithredu yn ôl ei air, ni chafodd y parch dyladwy. Dywedwyd wrtho un tro, gan rai o'r Iddewon, pan oedd yn y deml, "Os tydi yw'r Meseia, dywed hynny wrthym yn blaen." Atebodd Iesu, "Yr wyf wedi dweud wrthych, ond nid ydych yn credu." Eto i gyd, dywedodd Ioan dro arall, 'Fe gredodd llawer, hyd yn oed o'r llywodraethwyr ynddo ef, ond o achos y Phariseaid, ni fynnent ei arddel, rhag iddynt gael eu torri allan o'r synagog. Dewisach oedd ganddynt glod gan ddynion na chlod gan Dduw.'

Cyd-weddïwn:

Down atat, ein Creawdwr a'n Cynhaliwr, i ddiolch i Ti am gyfle arall i ddathlu Gŵyl y Geni yn dy Dŷ. Diolchwn i Ti am i Iesu Grist ddod i'r byd yn berson o gig a gwaed fel ni, a byw ymhlith pobl fel ni.

Gwyddom i'th Fab gael ei roi i orwedd mewn preseb anifail, gan na chafodd gynnig gwely esmwythach. Maddau i ni am nad ydym ninnau chwaith yn rhoi'r lle dyladwy iddo. Daeth Crist i ganol byd difater, a gadáwn ni Ef hefyd yng nghanol tlodi ysbrydol ein dyddiau ni, ei adael y tu allan i'r drws, er i ni ei glywed yn curo.

Helpa ni i deimlo dy bresenoldeb di yn yr oedfa hon, er mwyn i ni ddathlu dy ben-blwydd di gydag addoliad teilwng. Wrth i ni rannu anrhegion rhwng teulu a ffrindiau y Nadolig hwn, boed i ni gofio am y Rhodd fwyaf a welodd y byd erioed, rhodd o Fab i fod i ni'n Arweinydd, yn Frawd ac yn Waredwr.

Cofiwn am y rhai na chafodd gyfle i glywed y Newyddion Da, ac am eraill, er iddynt glywed amdanat Ti a'th Fab, na chânt ryddid i'th addoli. Cofiwn am bawb sy'n ei theimlo'n anodd i ddathlu'r Nadolig hwn, oherwydd gwaeledd, gwendid, gofid am un annwyl, neu hiraeth am gymar a gollwyd o'r aelwyd. Boed i ni gofio am y tlawd a'r newynog hefyd, rhai nad ydym yn eu hadnabod, ond eto sy'n frodyr neu'n chwiorydd i ni.

Pan fyddo beichiau bywyd yn trymhau,
a blinder byd yn peri in' lesgáu,
gwn am y llaw a all fy nghynnal i,
a'i gafael ynof, er nas gwelaf hi.

Dyna ddywed un emynydd, a gweddïwn am i'w brofiad ef fod yn brofiad i bawb sydd mewn angen y Nadolig hwn.

Dyro i ni ras i dderbyn dy wahoddiad i'r Bywyd sy'n cael ei gynnig i ni, y Bywyd lle mae cariad a thangnefedd yn teyrnasu, lle nad oes neb yn gorfod dioddef casineb na thrais, y Bywyd lle 'rwyt Ti yn ben, a lle gwelir gras rhwng dyn a dyn, y gras a ddaw trwy Grist ei hun. Gofynnwn hyn yn ei enw Ef. Amen.

Emyn 457: Draw yn ninas Dafydd Frenin
Tôn 382: Irby

Rhannau i 3

1: Heb fod ymhell o Fethlehem, 'roedd bugeiliaid yn gwylio eu defaid. Mae'n ddigon tebyg eu bod yn sgwrsio am Moses a Dafydd, bugeiliaid fel hwythau, ac yn canu Salmau, oherwydd dyna oedd yr emynau a genid wrth addoli, yn y dyddiau hynny.
I fugeiliaid, pa well Salm na 'Yr Arglwydd yw fy Mugail'?

2: Canu neu adrodd Salm 23 - Rhif 965 yn 'Salmau a Chaniadau' - Caneuon Ffydd

1: Fel hyn mae Luc yn disgrifio beth ddigwyddodd i'r bugeiliaid noson y Geni –

Darllen: Luc 2: 8 – 14 Y Bugeiliaid a'r Angylion

3: Darllen: Luc 2: 15 – 20 Wedi i'r angylion fynd ymaith ...

1: Gallwn fod mewn capel neu eglwys, heb weld Duw, na chlywed ei lais. Ar y llaw arall, gallwn fod mewn unigrwydd ar noson dywyll, a theimlo Duw yn agos. Nid y lle, ond y galon sy'n gwneud addolwr. Pe gadawai'r bugeiliaid eu defaid i grwydro, heb roi y sylw angenrheidiol iddynt, ni fyddent yn deall cân yr angylion am ewyllys da, a phe gadawent yr ŵyn i farw, ni fyddai gobaith iddynt i gael golwg ar Oen Duw.
Nid oes sôn am y bugeiliaid yn dwyn anrhegion i'r Baban Iesu; ond ni allai fod ganddynt anrhegion gweladwy i'w rhoi ar y pryd, oblegid 'roeddynt yng nghanol eu gwaith ar y bryniau, pan ddaeth y Newyddion Da i'w clyw. Ond mae pob calon lân yn llawn o ddaioni, os byddwn yn yr ysbryd iawn, er i'n dwylo fod yn wag ar y pryd. Dyna hanes y bugeiliaid hyn, pan aethant ar eu hunion i Fethlehem. Rhoesant i Grist anrhegion hefyd, sef hwy eu hunain.

Carol Plygain: Rhown Foliant
Tôn 397:'Roedd yn y wlad honno

I gynnig dedwyddwch i fyd mewn tywyllwch,
daeth Baban â'i heddwch o'r nef,
 yn Fab diargyhoedd, yn Frenin brenhinoedd
a Cheidwad i'r bobloedd oedd ef;
ni chafodd ond beudy anifail yn lety,
a'i wely oedd preseb o wair,
ond yn ei breswylfod, caed bendith y Duwdod
ar bennod yr Ysbryd a Mair.

Er rhif ei fendithion tra'n byw ymhlith dynion,
gelynion a'i hoeliodd ar bren,
ond ni thâl i'w hepgor, can's ef yw y porthor
sy'n agor drws gras led y pen;
mae'r Bachgen a aned yn barod â'i nodded
pan geisir ymwared gan ddyn;
fe'n golchir o'n pechod, cawn fyw yn ei wyddfod,
mewn cymod â'r Crëwr ei hun.

Y gân fu uwch Bethlem sy'n seinio yn Salem;
mae'r anthem o fawl yn parhau;
mae gwreng yn penlinio a bonedd yn uno,
a'r gytgan yn Seilo'n cryfhau;
rhown foliant i Iesu, y Brawd sy'n ein caru;
yr Un a'n hadnabu ni yw,
ac ef sy'n cyfeirio ein henaid rhag gŵyro,
trwy bontio rhwng dynion a Duw.

✳ Draw yn y dwyrain, ymhell o Fethlehem, yr oedd seryddwyr yn treulio
eu holl amser yn astudio'r sêr. Un noson, gwelsant seren ddisglair, a
daeth i'w meddwl, trwy oleuni Ysbryd Duw, mai seren i ddynodi
genedigaeth brenin oedd hi. Gwyddent am Jerwsalem a'i hanes, ac
felly credent mai yno, yn y plas, y byddai'r brenin a ddisgwylid yn cael
ei eni, ac i'r plas yr aethant, ond nid oedd Ef yno.

Dychrynodd y brenin Herod drwyddo pan ddaeth y gwŷr doeth i
holi am frenin arall, ond er ei ofid a'i ofn, ni ddangosodd ei deimladau i'r
tri o'r Dwyrain. Yn hytrach, dangosodd ddiddordeb mawr yn yr hyn

oedd wedi digwydd, a gofynnodd i'r tri i ddod yn ôl â hanes y Brenin newydd iddo, er mwyn iddo ef, hefyd, fynd i'w addoli.

Aeth y seryddwyr ymlaen, nes cyrraedd y preseb lle gorweddai Iesu, a rhoesant anrhegion iddo, o aur, thus a myrr, ond nid aethant yn ôl at Herod. 'Roedd y dynion hyn yn ddigon doeth i wybod nad oedd Herod am gael brenin arall yn y wlad, felly dychwelasant i'w gwlad eu hunain ar hyd ffordd arall, oblegid nid oedd Herod a hwy ar yr un donfedd. Ni all cariad fyth gytuno â chasineb a malais.

Gŵr creulon a hunan-bwysig oedd Herod, ac ni fynnai ef i Iesu fyw. O na fyddai pob Herod yn barod i fynd gyda'r doethion i chwilio am y Gwaredwr y dyddiau hyn, a'i addoli, fel bo casineb yn troi'n gariad, ac eiddigedd yn troi'n dangnefedd, ac
fel na fyddo mwyach na dïal na phoen,
na chariad at ryfel, ond rhyfel yr Oen.

Cân i unigolyn neu barti: Seren y Nefoedd
Tôn 375: Y Preseb

Daeth Seren o'r nefoedd â'i llewyrch yn glir,
i arwain y doethion dros fôr a thros dir,
gan sefyll uwch mangre y Baban ei hun –
Mab perffaith y nefoedd mewn llety di-lun.

Mae Seren y Nefoedd yn eglur bob pryd
i bawb sydd yn chwilio amdani'n y byd;
mae'n dal i dywynnu yn ddisglair ei gwedd,
gan dreiddio drwy'r t'wyllwch â'i neges o hedd.

Yn llewyrch y Seren canfyddir y tlawd,
y llesg a'r newynog sy'n crynu dan fawd;
agorir ein dwylo trugarog 'n ei gwres,
gan godi y ddaear i'r nefoedd yn nes.

Dilynwn y Seren yn llawen ein llef,
Gan ddenu trigolion at D'wysog y nef;
Dilynwn y Seren dros Grist trwy ein hoes,
Can's ef yw'r Gwaredwr aeth trosom i'r groes.

77

Nid oedd pawb yn barod i addoli Crist, pan anwyd Ef. Nid oedd pawb, hyd yn oed ym Methlehem, wedi clywed am ei fodolaeth, er ei fod yn eu hymyl. 'Roedd eraill wedi clywed amdano ond heb fynd i'w weld, a hynny oherwydd diffyg diddordeb, ac onid felly y mae hi heddiw yng Nghymru? Gallwn fynd at borth teyrnas Crist, edrych o bell, synnu a chanmol weithiau, efallai, a heb fynd ymhellach, ond mae Crist yn gofyn i ni fynd yr holl ffordd. "Dewch ataf fi, bawb sy'n flinedig ac yn llwythog, ac fe roddaf orffwystra i chwi", yw ei gynnig ef.

Meddai Iesu yn ei Bregeth ar y Mynydd, "Ewch i mewn trwy'r porth cyfyng, oblegid llydan yw'r porth ac eang yw'r ffordd sy'n arwain i ddistryw, a llawer yw'r rhai sy'n mynd ar hyd-ddi. Ond cyfyng yw'r porth, a chul yw'r ffordd sy'n arwain i fywyd, ac ychydig yw'r rhai sy'n ei chael."

Mae Ef yn barod i ddangos y ffordd i ni, a'n cynorthwyo ar y ffordd honno, oblegid mae wedi dweud, "Myfi yw'r ffordd a'r gwirionedd a'r bywyd. Nid yw neb yn dod at y Tad ond trwof fi".

Gofynnir inni weithiau ble cawsom ein geni, ac fel rheol, mae'r man hwnnw'n annwyl i ni, hyd yn oed os yw mor llwm â'r lletty gafodd Iesu. Ni allwn **ni** drefnu ble i gael ein geni, beth bynnag, ac nid ble 'ryn ni'n dechrau ein taith yn y byd sydd o bwys, wedi'r cyfan.Yr hyn sy'n bwysig, yw i ble ryn ni'n **mynd**, ble fyddwn ni'n **gorffen** y daith, nid yn faterol, ond yn ysbrydol, a **ni ein hunain** sydd i benderfynu hynny.

Cân i barti: Dinas ein Ceidwad
Tôn: Y Crwydryn(Atgofion Vernon- Cwmni Sain)

Yn ninas ein Ceidwad mae ysbryd
doethineb a deall mewn grym,
y tlodion a drinir yn gyfiawn,
a'r anwir a fernir yn llym,
can's daeth o gyff Jesse flaguryn,
a thyfodd o'i wraidd gangen îr;
cyfiawnder yw gwregys ei lwynau,
ffyddlondeb a dardd yn ei dir.

Yn ninas ein Ceidwad, cyd-orwedd
yn dawel mae llewpard a myn,
a chilia yr ofn a fu'n llechu
rhwng oenig a blaidd ar y bryn;
i ddifrod ni roddir mynediad,
cenfigen a llid ni chânt le;
mae'r ddinas, a'r cyfan sydd ynddi
mewn cytgord â theyrnas y ne'.

Yn ninas ein Ceidwad, daw seiniau
soniarus angylion i'n clyw,
ac yno mae pawb yn penlinio
mewn diolch am eni Mab Duw;
try t'wyllwch y byd yn oleuni,
try gelyn yn gyfaill a lŷn,
can's teyrngar yw'r deiliaid i'w Brenin,
a'r Brenin yw Iesu ei hun.

Emyn 445: Engyl Bethlem, seiniwch eto
Tôn 110: Preseli

Gweddïwn:
O Dduw, boed i Iesu, Tywysog Tangnefedd, gael ei eni o'r newydd yn
ein calonnau ninnau y Nadolig hwn. Boed i ni gyd-deithio ag ef, a
rhannu rhinweddau ei deyrnas ef ag eraill, nid yn unig ar yr Ŵyl, ond
bob amser. Amen.

GŴYL Y PASG

Emyn 490 i barti: Draw, draw ymhell mae gwyrddlas fryn
Tôn 411: Lloyd

Gŵyl fawr yr Eglwys yw'r Pasg, Gŵyl i gofio buddugoliaeth Crist, buddugoliaeth ar angau; cariad yn concro casineb, a thristwch yn troi'n orfoledd am fod Iesu'n fyw. Mae'n ŵyl lle mae goleuni'n difa'r tywyllwch, gan ddwyn gobaith newydd i'n byd, ac mae'n ŵyl o gysur i bawb sy'n credu yn atgyfodiad ein Gwaredwr o'r bedd.

I Dduw bo'r gogoniant, fe wnaeth bethau mawr,
rhoi 'i Fab, o'i fawr gariad, dros holl deulu'r llawr,
rhoi 'i einioes yn Iawn dros ein pechod a wnâi,
gan agor drws bywyd i bawb er eu bai.

Unwn gyda'r Eglwys Gristnogol sy'n dathlu'r ŵyl, ar hyd a lled y byd, trwy air a thrwy weithred, a diolchwn am gael bod yn rhan o'r teulu hwnnw.. Boed i ni lawenhau, a boed i ni geisio dwyn llawenydd a sicrwydd yr Atgyfodiad i galonnau pawb sy'n amau "Gwyrth y Trydydd Dydd". Diolchwn i Grist am agor drws gobaith i bawb sy'n curo, ac yn ceisio cael mynediad i'w gorlan Ef.

Ar fore'r Pasg datseinier cân
drwy wledydd byd yn ddiwahân
am goncwest Iesu mawr:
Duw a arddelodd Fab y Dyn;
cyfododd Ef â'i law ei hun
yn Geidwad nef a llawr.

Cyd-weddïwn:

O Dduw, gofynnwn am ffydd i adnabod Crist o'r newydd yn awr, ffydd i ymwrthod ag unrhyw amheuaeth a ddaw i'n calonnau, wrth fyw o ddydd i ddydd. Dyfnha ein profiad ohono, a helpa ni i sôn wrth eraill am y profiad hwnnw, gan ledaenu dy efengyl yn ein hardaloedd. Cynorthwya ni i deimlo dy bresenoldeb yn yr oedfa hon, a boed i ni gyflwyno'r oedfa i Ti, yr Un a anfonodd ei Fab i'r byd i fod yn Waredwr i ni. Amen.

Emyn 543: Hwn ydyw'r dydd y cododd Crist
Tôn 152: Grafenberg

Darlleniadau i A, B ac C:

A: Cofiwn fod Gŵyl y Pasg wedi cael ei sefydlu ganrifoedd cyn geni Crist. Digwyddodd y Pasg cyntaf pan oedd cenedl Israel mewn caethiwed yn yr Aifft, a Pharo'n gwrthod gadael y bobl yn rhydd. 'Roedd y genedl wedi mynd yno yn amser Joseff, oherwydd bod newyn yng ngwlad Canaan, ond er iddynt gael byw yno'n hapus am flynyddoedd, daeth Pharo arall i'r orsedd, ac fe wnaed cenedl Israel yn gaethweision.

Galwodd Duw ar Moses, gan ddweud, "Tyrd, yr wyf yn dy anfon at Pharo, er mwyn i ti arwain fy mhobl allan o'r Aifft." Petruso wnaeth Moses, ond dywedodd Duw wrtho, "Byddaf fi gyda thi." Er i Moses geisio cael y genedl yn rhydd, ni lwyddodd. Cofiwn am y naw pla cyntaf a fu ar yr Aifft, er mwyn ceisio cael Pharo i adael yr Israeliaid i gael dychwelyd i'w gwlad eu hunain, ond gwrthod eu rhyddhau wnaeth y brenin bob tro.

B: 'Roedd y degfed pla yn waeth na'r rhai cynt. 'Roedd y plentyn cyntaf o deuluoedd yr Eifftiaid yn mynd i golli ei fywyd, os na fyddai'r Iddewon yn cael rhyddid. Ar y dydd penodedig, byddai pob pen-teulu Iddewig yn lladd oen, ac yn rhoi peth o'r gwaed ar byst eu drysau, er mwyn dangos ble 'roedd y teuluoedd Iddewig yn byw, ac er mwyn arbed eu cyntaf-anedig hwy.

'Roeddynt i baratoi pryd o fwyd, yr ŵyn i gael eu rhostio, ac os byddai cig ar ôl yn y bore, 'roedd rhaid ei losgi. 'Roedd angen i'r Iddewon fwyta'u bwyd ar frys, eu gwisgoedd wedi eu torchi, esgidiau am eu traed, a ffon yn llaw pob un. Byddent felly yn barod i ddianc ar rybudd byr. Y tro hwn, llwyddwyd i ddianc o afael Pharo, a mynd drwy'r Môr Coch, ac ymlaen i wlad Canaan, er iddynt gael llawer o rwystrau ar y ffordd.

Dyna ddigwyddodd ar y Pasg cyntaf. Oddi ar hynny, ar orchymyn Duw, 'roeddent i ddathlu'r ŵyl bob blwyddyn, a dyna sydd wedi digwydd, ac yn parhau i ddigwydd.

C: Fel hyn mae awdur llyfr Ecsodus wedi cofnodi'r hanes:
Cadwch y ddefod hon yn ddeddf i chwi a'ch meibion am byth.Yr ydych
i gadw'r ddefod hon pan ddewch i'r wlad y bydd yr Arglwydd yn rhoi i
chwi, yn ôl ei addewid.

Pan fydd eich plant yn gofyn i chwi, 'Beth yw'r ddefod hon sydd
gennych? yr ydych i ateb, "Aberth Pasg yr Arglwydd yw, oherwydd
pan drawodd ef yr Eifftiaid, aeth heibio i dai'r Israeliaid oedd yn yr Aifft,
a'u harbed".

Ymgrymodd y bobl mewn addoliad. Aeth yr Israeliaid ymaith, a
gwneud yn union fel yr oedd yr Arglwydd wedi gorchymyn i Moses ac
Aaron.

'Rydym yn dal i ddathlu'r Pasg, ond nid dathlu rhyddid yr Iddewon
o'r Aifft a wnawn bellach, ond dathlu atgyfodiad Crist, gan i hynny
ddigwydd ar ŵyl y Pasg.

Emyn 554: Gorfoleddwn Iesu mawr
Tôn 467: Nottingham

Yr ymdaith fuddugoliaethus i mewn i Jerwsalem
Yn ystod wythnos olaf Crist ar y ddaear, ac Ef a'i ddisgyblion wedi dod
yn agos i Jerwsalem, wrth droed Mynydd yr Olewydd, dywedodd wrth
ddau ohonynt am fynd i'r pentref oedd gerllaw i gyrchu ebol asyn
iddo.Os byddai rhywun yn eu hamau, 'roedd yn rhaid iddynt ddweud,
"Y mae ar y Meistr ei angen", ac fe fyddai'r perchennog yn gadael
iddynt ei ollwng yn rhydd yn union.

Mae'n amlwg wrth yr hanes felly, fod Crist wedi paratoi ymlaen
llaw am gael yr asyn, a'i fod wedi gwneud trefniadau ymlaen llaw â'r
perchennog. Daeth y ddau ddisgybl â'r ebol asyn at Iesu, a rhoi eu
mentyll arno, er mwyn i'r Gwaredwr ei farchogaeth i Jerwsalem.

Ymhen ychydig ddyddiau, bu Iesu a'i ddisgyblion yn bwyta'r
Swper Olaf. 'Roedd paratoi wedi digwydd cyn y noson honno hefyd, a
pharatoi pellach adeg y Swper, er mwyn i Grist gael nerth i wynebu'r
groes. Fel hyn mae Marc yn adrodd yr hanes -

Darllen: Marc 14: 12 – 15; 22 – 26.

Mae'n arferiad gennym ninnau i baratoi ein hunain ar gyfer gwahanol achlysuron, cyn mynd i oedfa, i'r gwaith, i'r siop, neu i gyngerdd. Mae angen paratoi bwyd ar gyfer pob pryd yn ein cartrefi, neu baratoi ystafell wely ar gyfer ymwelwyr. Rhaid cael pridd yr ardd yn barod at hau'r had, a darparu ar gyfer y cynhaeaf ar y fferm. Mae llawer o'n hamser ni'n cael ei dreulio ar ryw fath o baratoi o ddydd i ddydd, ac o wythnos i wythnos.

Paratoi'n gorfforol yw'r rhan fwyaf o'r paratoi a enwyd, ond beth am baratoi ein hunain yn ysbrydol? Oni ddylen ni ddarllen y Beibl, gweddïo a myfyrio, er mwyn cryfhau ein ffydd, gan ddweud wrth Dduw, gyda'r emynydd -

Lle 'rwy'n sigledig un, rho im y ffydd
a'r wawr wen olau sy'n troi'r nos yn ddydd;
rho im orfoledd gobaith yn fy nghân,
ac un wreichionen fach o'th ddwyfol dân.

Dy rymus nerth, mae'n ddigon byth i mi,
a mwy na digon dy gadernid di;
i droedio'r daith sy'n ddryswch im' o hyd
O rho d'arweiniad, a bydd gwyn fy myd.

Cyd-weddïwn:
Diolchwn i Ti, O Dduw, am nerth ac iechyd i ddod i'th Dŷ ar ŵyl y Pasg, i ddiolch nad mewn bedd y gwelir Crist ond yn y byd, ac yng nghanol ein bywydau ni, ond inni ddymuno iddo fod yno. Boed i lawenydd yr ŵyl feddiannu ein calonnau yn awr, a chalonnau addolwyr ym mhob man.

Cyhoedder heddiw'r newydd i bob creadur byw,
er marw ar Galfaria, fod Iesu eto'n fyw.
Cynorthwya ni i adnabod ein doniau, a'u cyflwyno i Ti mewn addoliad ac mewn gwasanaeth. Bydd gyda ni yn yr eglwys hon, a gwna ni'n ddisgyblion effeithiol i Ti yn y gymdeithas yr ydym yn perthyn iddi, ac yn gyfryngau teilwng yn dy law i hyrwyddo dy deyrnas yn y byd.

Diolchwn am ein cartrefi, a deisyfwn am dy gymorth i'w gwneud yn aelwydydd cariad a haelioni. Diolchwn i Ti am lefaru wrth Gymry ar hyd y canrifoedd; molwn di am bob anwyldeb sy'n perthyn i'n gwlad, a deisyfwn dy fendith arni. Arwain ni ymlaen ar y ffordd a drefnaist Ti ar ein cyfer, y ffordd a agorwyd i ni gan dy Fab, y ffordd atat Ti.

Maddau i ni am nad yw ein bywyd wedi ei wreiddio ynot Ti mor ddwfn ag y dylai fod. Maddau i ni am fod yn fud pan ddylem lefaru, ac am droi ein cefn ar broblemau, pan ddylem fod wedi eu hwynebu yn enw ac yn nerth Crist. Bydd gyda ni yn ein gwaith ac yn ein hamdden, a chynorthwya ni i gadw ein golygon ar yr Un sydd i ni'n Waredwr.

Dysg i ni geisio deall ac amgyffred problemau pobloedd eraill, a'u trin mewn ysbryd gweddigar. Boed i ni ddwyn gobaith i'r rhai sy'n gweld bywyd yn dywyll: y llesg a'r newynog, y digartref a'r di-gyfaill, a boed i ni gludo golud Calfaria i dlodion ysbrydol ein byd. Gwna ni'n oleuadau drosot Ti, a maddau inni bob camgymeriad.

Gofynnwn hyn yn enw ac yn haeddiant ein Gwaredwr, Iesu Grist. Amen.

Emyn 266 i barti: Dy deyrnas, Dduw Dad, yw'r cyfanfyd i gyd Tôn 221:Paderborn

Awn yn ôl i ddechrau gweinidogaeth Iesu ar y ddaear. Dywed Luc fel hyn amdano: "Daeth i Nasareth, lle yr oedd wedi ei fagu. Yn ôl ei arfer, aeth i'r synagog ar y dydd Saboth, a chododd i ddarllen. Rhoddwyd iddo lyfr y proffwyd Eseia, ac agorodd y sgrôl a chael y man lle'r oedd yn ysgrifenedig:

Y mae Ysbryd yr Arglwydd arnaf, oherwydd iddo fy eneinio i bregethu'r newydd da i dlodion. Y mae wedi fy anfon i gyhoeddi rhyddhad i garcharorion, ac adferiad golwg i ddeillion, i beri i'r gorthrymedig gerdded yn rhydd, i gyhoeddi blwyddyn ffafr yr Arglwydd'."

Wedi cau'r sgrôl a'i rhoi'n ôl i'r swyddog, fe eisteddodd; ac yr oedd llygaid pawb yn y synagog yn syllu arno. A'i eiriau cyntaf iddynt oedd: "Heddiw yn eich clyw chwi mae'r Ysgrythur hon wedi ei chyflawni."Yr oedd pawb yn ei gymeradwyo ac yn rhyfeddu at y geiriau grasusol oedd yn dod o'i enau ef, gan ddweud, "Onid mab Joseff yw hwn?"

Mae'r hanes yna'n sôn am Iesu'n addoli yn y synagog, ac mae

hynny'n esiampl i ni, ond mae angen i ni addoli Duw lle bynnag yr ydym, yn ogystal. Meddai Iesu wrth y wraig o Samaria, "Y mae amser yn dod pan fydd y gwir addolwyr yn addoli'r Tad mewn ysbryd a gwirionedd, oherwydd rhai felly mae'r Tad yn eu ceisio i fod yn addolwyr iddo."

Cyn i Iesu ymadael â'r byd yn gorfforol, bu'n cymell y disgyblion i ddilyn ei esiampl o ledaenu Gair Duw. Meddai wrthynt, "Ewch i'r holl fyd, a phregethwch yr efengyl i'r greadigaeth i gyd." Gwnaethant fel y dywedwyd wrthynt, a dywedir fel hyn amdanynt, "Aethant hwy allan a phregethu ym mhob man, a'r Arglwydd yn cydweithio â hwy, ac yn cadarnhau'r gair trwy'r arwyddion oedd yn dilyn."

Mae'n ein cymell ninnau i sôn am Air Duw ac am Dduw ei hunan, ac mae Crist yn ein hysbrydoli trwy ddweud, "Lle mae dau neu dri wedi dod ynghyd yn fy enw i, yr wyf yno yn y canol."

Meddai'r Parchedig W Rhys Nicholas –
Lle bynnag wyt, O Grist, mae bywyd pur ei flas,
mae ysbryd yno'n rym a gloyw ffrydiau gras,
mae yno fwynder hedd i gyfoethogi'n byw;
lle bynnag wyt, O Grist, cawn weled wyneb Duw.

Nid oes pregeth well y gallwn ei thraddodi na "Iesu Grist, yr un ydyw, ddoe a heddiw ac am byth." Nid yw E'n mynd yn ôl ar ei air.

Emyn 553: Iesu atgyfododd
Tôn 515: Morning Light

Darlleniad: Angrhediniaeth Thomas : Ioan 20: 24 - 29

Cân i unigolyn: Esiampl Crist
Tôn 680: Richmond Hill

Ti, Iesu, yw'r Ceidwad a rydd, heb nacâd,
esmwythyd i'r galon sy'n ceisio llesâd;
pan ddygir diddanwch dy ddeiliaid o'u côl,
mae arlwy dy ddwylo'n dwyn gobaith yn ôl.

Fe'th welir ar aelwyd yr unig a'r hen
yn casglu y dagrau ac ail-blannu gwên;
daw cysur i deulu gofidiau a phoen
am iti greu awydd i ail-ennill hoen.

Pan ffy cydymdeimlad, pan frath geiriau llym,
fe ddeui i gynnig rhoi cariad mewn grym;
pan gei di wrandawiad fe beidia pob ffrae,
pob llid a chasineb, cenfigen a gwae.

Bendithion ein Tad a ddaw trwot yn hael,
ac iti rhown foliant am gariad di-ffael;
pan roddaist dy hunan yn llwyr ar y groes,
ehangwyd dy gariad i gynnwys pob oes.

Trwy fywyd aberthol, heb ddisgwyl cael clod
na gwneud elw bydol, gosodaist y nod;
O bydded i'th gariad a'th hedd ddwyn ein bryd,
gan ddilyn dy gamre wrth deithio trwy'r byd.

(Gall y canlynol gael ei rannu rhwng dau ddarllenydd, yn llefaru bob yn ail):

Mae llu o bobl, ar hyd y canrifoedd, wedi gwasanaethu Crist, heb iddynt ei weld erioed â'u llygaid naturiol, ond eto fe'i gwelsant, a hynny trwy lygaid ffydd.

Gwasanaethodd Dewi Sant, nawddsant Cymru, ei Waredwr trwy air a gweithred, ac mae ei feddrod, yn Eglwys Gadeiriol Tyddewi, yn gyrchfan i bererinion o hyd.

Gweithiodd yr Esgob William Morgan ac eraill yn hir a chaled i gyfieithu Gair Duw i'r Gymraeg, a bu Gruffydd Jones yn gyfrwng i ddysgu Cymry i'w ddarllen a'i ddeall.

Oherwydd ei ffydd yn Nuw y bu John Penri farw'n ifanc. Apeliodd am ryddid i bregethu'r Gair yn Gymraeg, ond ni chafodd ei apêl dderbyniad gan y Senedd, ac ymhen amser, fe'i dienyddiwyd ef.

Bu Elfed Lewis yn bregethwr cadarn mewn gwahanol ardaloedd yng Nghymru, a hefyd yn Llundain. Ysgrifennodd lu o emynau, a daliant yn boblogaidd, oblegid cant eu mynegi mewn iaith syml, hawdd ei deall.

Dau emynydd poblogaidd arall a fu yn ein gwlad oedd William Williams ac Ann Griffiths, dau a fu'n fodd i ddwyn llawer o gyd-ddynion yn nes at Grist. Daw eu hemynau hwy o'r galon hefyd, ac mae emynau William Williams yn niferus iawn.

Bu Thomas Charles yn un o bleidwyr mwyaf selog Cymdeithas Genhadol Llundain, a bu'n ddiflino yn ei ymdrech i geisio cael 'Beibl i Bawb o Bobl y Byd'. Er iddo bregethu a threfnu, ysgrifennu a chyhoeddi, credwn mai'r pennaf o'i holl weithredoedd oedd gwneud Yr Ysgol Sul yn sefydliad arbennig yn ein gwlad.

Mae tyrfa fawr wedi rhoi eu bywydau mewn gwasanaeth i Dduw mewn gwahanol ffyrdd, gan ufuddhau i gydwybod lân, yn hytrach na gwneud elw personol.

Sylfaenodd rhai ysbytai a chartrefi i'r amddifaid, er mwyn eu cysuro. Aeth eraill i wledydd pell y byd i helaethu terfynau y Deyrnas y daeth Crist i'w sefydlu.

Gwasanaethu Duw a wnaethant, trwy wasanaethu cyd-ddynion. Rhain a alwyd gan Grist i fod yn weithwyr yn ei Winllan. Meddai Crist wrth ei ddisgyblion, "Y mae'r cynhaeaf yn fawr, ond y gweithwyr yn brin; deisyfwch felly ar i Arglwydd y cynhaeaf anfon gweithwyr i'w gynhaeaf." Dyna yw ei alwad o hyd.

(Holi'r cwestiwn canlynol, a cheisio cael gan y gynulleidfa i ateb)

Y Cwestiwn:
P A S G – Pedair llythyren; a allwch chi ddyfalu am beth mae'r

llythrennau hyn wedi bod yn sefyll yn yr oedfa hon, wrth gofio beth sydd wedi cael ei ddweud yn y darlleniadau? Mae pob llythyren yn sefyll dros ryw bethau y dylen ni eu gwneud, bob amser, wrth ymwneud â gwaith Duw a'i deyrnas.

Yr Ateb:
P am PARATOI: Clywsom am Iesu'n paratoi, wrth drefnu bod asyn yn barod iddo gael ei farchogaeth i Jerwsalem. Hefyd trefnodd ymlaen llaw i gael ystafell i fwyta'r Swper Olaf, lle bu'n ei baratoi ei hun ar gyfer yr hyn a ddeuai i'w ran yn ddiweddarach.
Mae angen i ni baratoi ein hunain yn ysbrydol hefyd, yn ogystal ag yn faterol.

A am ADDOLI: Dywedwyd yn un darlleniad fod Crist wedi mynd i'r synagog, sef i'r addoldy, 'yn ôl ei arfer.' Dywedodd wrth y wraig o Samaria y deuai'r amser pan fyddai'r gwir addolwyr yn addoli Duw mewn ysbryd a gwirionedd, sef bod mewn ysbryd addolgar bob amser.

S am SÔN neu SIARAD am: Mae angen inni ddweud wrth eraill am Dduw ac am Iesu Grist, yn ôl esiampl y disgyblion, rhywbeth nad ydym yn barod iawn i'w wneud.

G am GWASANAETHU: Bu Iesu ei hun yn gwasanaethu Duw, pan oedd ar y ddaear: gwasanaethu Duw trwy wasanaethu dynion. Cofiwn am lawer iawn o bobl sydd wedi gwneud hynny ac enwyd sawl un yn yr oedfa. Mae dawn gan bawb, ac mae mwy na digon o waith i bawb.
Cofiwn y pedwar gair felly - Paratoi, Addoli, Sôn a Gwasanaethu.

Emyn 830: O Dduw, ein craig a'n noddfa
Tôn 212: Endsleigh

Cyd-weddïwn:
O Iesu croeshoeliedig, Gwaredwr dynol-ryw,
Ti yw ein hunig obaith tra bôm ar dir y byw;
aed sôn ymhell ac agos am aberth Calfari,
nes llenwi â gorfoledd bob rhan o'n daear ni. Amen